Histoire illustrée du cinéma 2

Histoire illustrée du cinéma 2

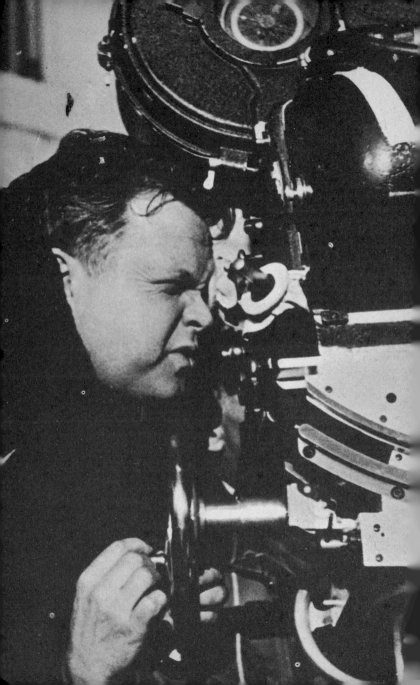

Histoire illustrée du cinéma

2 le cinéma parlant
1927-1945

René Jeanne
et
Charles Ford

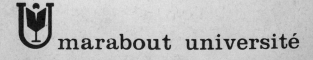

marabout université

Ce volume est le cent sixième
de la collection

marabout université

dirigée par
Jean-Jacques Schellens et Jacqueline Mayer

Maquette et mise en pages sont de
Klaus Grunewald

Les collections Marabout sont éditées et imprimées par
GÉRARD & Co, 65, rue de Limbourg, VERVIERS
(Belgique). — Le label Marabout, les titres des collec-
tions et la présentation des volumes sont déposés con-
formément à la loi.
Correspondant général à **Paris** : L'INTER, 118, rue de
Vaugirard, Paris VI. — Gérant exclusif et Distributeur
général pour les **Amériques** : D. KAZAN, 226 EST Chris-
tophe Colomb, Québec-P. Q., Canada. — Distributeur en
Suisse : Éditions SPES, 1, rue de la Paix, Lausanne.

naissance du parlant

le cinéma parlant avant le « parlant »

Le Cinématographe Lumière avait à peine attiré quelques dizaines de curieux dans le sous-sol du Grand Café, qu'on lui reprochait d'avoir présenté un spectacle incomplet, ses personnages étant muets. Ce reproche était allé droit au cœur de certains de ceux qui s'intéressaient à l'avenir de l'art des images animées. C'est ainsi que, rien que pour la France, Auguste Baron avait fait breveter en 1898 un « système d'appareils perfectionné pour enregistrer et reproduire simultanément les scènes animées et les sons qui les accompagnent ». Mais, bien qu'il eût mis au point un programme comprenant Mme Baron commentant le film parlant cent pour cent et Le songe d'Athalie, il ne dépassa pas le stade expérimental. Sans avoir réussi à attacher son nom au problème du « cinéma parlant », il mourut à l'hôpital en 1938. Dans le même temps, Berthon, Dussaud et Jaubert d'une part, Gariel d'autre part, faisaient breveter des appareils du même genre sans pouvoir aller plus loin que Baron. De son côté, Henry Joly, en association avec le photographe Mendel, menait des travaux qui, en 1905, aboutirent au dépôt d'une demande de brevet concernant « l'enregistrement électrique du son sur la pellicule même du film ». Il ne poussa pas plus avant dans cette voie, ce qui est regrettable puisque c'est là que les ingénieurs de la Western Electric devaient trouver la solution du problème... un quart de siècle plus tard, ou presque. Entre-temps le Phono-Cinéma-Théâtre avait présenté aux visiteurs de l'Exposition universelle de Paris (1900) de petits films montrant et faisant entendre les acteurs les plus réputés de Paris dans de courtes scènes de leur répertoire : Hamlet pour Sarah Bernhardt, Madame Sans-Gêne pour Réjane et Les précieuses ridicules pour Coquelin. Ceci grâce à la connexion de l'appareil de projection et d'un phonographe, reliés électriquement et fonctionnant en un synchronisme plus ou moins satisfaisant [1]. G.-M. Coissac a donné du procédé une analyse très précise : « L'enregistrement s'obtenait en deux fois : 1° le phonographe produisait le disque alors que le chanteur se plaçait aussi près du pavillon qu'il était nécessaire; 2° le disque ainsi obtenu était placé sur un appareil reproducteur, le chanteur guidé alors par la mesure du chant reproduit suivait en concordance les paroles en jouant la scène devant l'objectif cinématographique [2]. » Améliorant cette technique, Léon Gaumont, avec

[1] Cf. vol. 1.

[2] G.-M. Coissac : Histoire du cinéma. Paris, Éd. du Cinéopse, 1925.

la collaboration d'Alice Guy, se lança dans la production régulière de petites bandes chantantes. Le 7 novembre 1902, il présenta son chronophone à la Société de photographie où il expliqua pourquoi, dans cette opération, la parole avait pris le pas sur l'image : « Le phonographe est le plus délicat des organes, celui qui souffre le moins d'imperfections. Il fallait qu'il commandât et que tout fût subordonné à sa marche ». Encouragé mais non satisfait, il continua à travailler et, au cours de l'été 1908, ayant loué le théâtre du Gymnase, il y donna, deux mois durant, des séances de cinéma parlant, avec un succès tel qu'à Léon Poirier, qui lui disait : « Vous allez concurrencer le théâtre ! » il répondit tout simplement : « Nous allons le remplacer ! » Cette fois, le chronophone était assez grand garçon pour faire son entrée dans le monde officiel. Léon Gàumont le présenta donc le 27 décembre 1910 à l'Académie des sciences qui déclara, dans le procès-verbal de la séance : « Si la reproduction de la parole laisse un peu à désirer, le synchronisme du mouvement et du son est parfaitement réalisé ». Au mois de mars suivant, l'exploitation commerciale régulière du chronophone commença au Gaumont-Palace dont chaque programme, jusqu'en 1914, comprit un petit film parlant ou chantant. Malheureusement, l'exploitation de ces « phonoscènes » exigeait des frais de matériel et de personnel devant lesquels les directeurs de salles reculaient. Si bien que, lorsque la guerre éclata, Léon Gaumont avait à peu près renoncé à leur production et qu'il ne la reprit pas la paix revenue. Tout cela, on l'a un peu trop oublié. Quand on parle du cinéma sonore et parlant, on n'attache pas assez d'importance aux longs et patients travaux de Gaumont et aux résultats qu'il avait obtenus. Pour avoir été détrôné par l'enregistrement direct du son sur la pellicule, le système utilisant la collaboration du disque de phonographe ne fut pourtant pas abandonné. Divers chercheurs s'employèrent, ici et là, à le perfectionner; notamment le Suédois Sven Berglund dont la présentation en 1921 provoqua les plus vives critiques : « Le nasillard phono ne pourra pas reproduire le bruit du train qui passe, la bataille à coups de revolver, tous les bruits enfin qui ne sont pas dus à la voix humaine... Le film passera dans les établissements assez riches pour payer sa location. Il ne pourra passer dans aucun autre pays car il sera impossible de montrer à Londres ou à Madrid un film où les personnages s'expriment en suédois. Il sera de même impossible d'impressionner des plaques phonographiques dans un autre langage que le suédois, la prononciation des paroles n'étant pas la même et les mots n'ayant pas la même longueur... Ces obstacles sont insurmontables [1]. » On verra comment l'avenir se chargera de renverser ces obstacles. Ce fut pourtant dans cette collaboration « film-images, disque-sons » qu'intervint, aux États-Unis, une des deux solutions qui allaient enfin sortir le cinéma du silence et sauver le cinéma américain de la crise où il se débattait.

**que la
parole soit!**

Comme cela lui était déjà arrivé en 1921, le cinéma américain traversait, en effet, une crise grave. Les recettes avaient baissé de façon inquiétante. Le prestige des « stars » s'effritait. Les « super-productions » les plus fastueuses ne provoquaient plus la curiosité des foules blasées, il fallait les encadrer de présentations coûteuses : prologues, ballets, attractions de music-hall. A toutes ces raisons s'en ajoutait une autre, qu'Alexandre Arnoux a fort bien analysée : « Le cinéma arrivait dans une impasse. Thérèse Raquin, Les damnés de l'océan, Solitude abordaient à cet âge heureux et détestable d'un art où la perfection de sa technique et la sûreté de ses effets le vouent au dépérissement, où le hasard et l'incertitude du résultat ne jouant plus pour l'ouvrier pleinement maître de sa main, les meilleurs frôlent pour se divertir les précipices, où ceux qui possèdent le plus de hardiesse et de génie se jettent à l'abîme par horreur de la prudence, par appétit d'un risque que leur labeur quotidien cesse de leur procurer. Le créateur veut toujours trembler. Nous cherchions tous un précipice [2]. » Ce précipice s'ouvrit devant les pas des cinéastes américains au milieu de 1926 par la révélation de ce qui se préparait dans les laboratoires des deux plus puissantes compagnies d'électricité des États-Unis : la Western Electric et la General Electric, soutenues l'une et l'autre par des groupes bancaires importants. Méfiants, malgré les circonstances qui auraient dû les inciter à quelque audace, les dirigeants des grandes

---

[1] **Cinémagazine,** 25 juillet 1921.

[2] Alexandre Arnoux : **Du muet au parlant.** Paris, La Nouvelle Édition, 1946.

sociétés de production — Adolph Zukor le tout premier — refusèrent de s'intéresser aux brevets qu'on leur proposait. Seuls les frères Warner qui étaient aux abois, risquant le tout pour le tout, s'assurèrent la propriété des brevets du procédé Vitaphone qu'ils utilisèrent à la sonorisation d'un film qu'ils étaient près d'achever : Don Juan, dont le metteur en scène était Alan Crosland et la vedette John Barrymore avec Mary Astor pour partenaire. L'orchestre du New York Philarmonic Auditorium exécuta une partition qui accompagnait la projection du film. Celui-ci fut présenté le 6 août au Warner Theatre de New York. Le programme était complété par plusieurs petites bandes : chansons de Marion Talley, sketches comiques de Roy Smeck et Anna Case. L'accueil de la critique fut des plus réservés mais la foule se rua vers l'écran du Warner Theatre. Jack Warner, qui avait évidemment toutes les raisons de se montrer optimiste, déclara à un journaliste qui l'interrogeait : « La nouveauté des films parlants ne passera pas. Ce qui a passé, c'est la nouveauté des films silencieux. » De son côté, le grand maître du cinéma, Will H. Hays, déclarait : « Toute l'industrie bénéficie de

Avant le parlant, le film sonore. A droite : Mary Astor et John Barrymore dans **Don Juan** (1926). Ci-dessus: So-Jin et Anna May Wong dans **In Old San Francisco** (1927).

l'intérêt qui se concentre sur la nouvelle invention. » Griffith s'exprimait en poète : « Je souhaite la bienvenue au film parlant parce qu'il apporte à l'écran silencieux la magie de la voix humaine et tous les bruits de la Nature, les plus infimes et les plus majestueux, depuis le chant du rossignol jusqu'au grondement du Niagara. »

et la parole fut

Don Juan n'était qu'un film musical, donc sonore, mais où la parole ne tenait aucune place. Ce fut encore le cas d'un deuxième film des frères Warner : In Old San Francisco. Enfin, le 27 octobre 1927, quatorze mois après Don Juan, The Jazz Singer (Le chanteur de jazz) vint apporter la preuve que le cinéma avait conquis l'usage de la parole. A dire vrai, Le chanteur de jazz, dont Alan Crosland avait dirigé la mise en scène, n'était pas un film parlant mais un film chantant. La vedette en était un artiste de music-hall, Al Jolson, qui s'était fait une spécialité, grimé en nègre, de chanter des airs du folklore noir américain. Peu importait cette distinction : que ce fût avec ou sans musique, il était acquis que les

ombres de l'écran disposaient de l'usage de la parole après quoi elles attendaient depuis trente ans. Cette fois, l'enthousiasme ne connut plus de bornes dans le monde des organisateurs de spectacles. Ils avaient à leur disposition un moyen de ramener devant les écrans les foules qui s'en éloignaient et ils allaient s'en servir. « Le film parlant, déclarait William de Mille, apporte au cinéma toutes les possibilités du théâtre. » Et Alan Crosland : « L'adjonction de la parole fait sortir le film du domaine limité de la pantomime pour le faire entrer dans le royaume de la comédie. » C'était précisément ce qu'il ne fallait pas dire et surtout ce qu'il ne fallait pas faire, car il n'était pas interdit au cinéma de parler sans pour autant cesser d'être du cinéma. Mais le temps où cette vérité s'imposera n'est pas encore venu : il faut laisser au cinéma parlant le temps de jeter sa gourme.

Naturellement, forts de leur succès, les frères Warner avaient travaillé sans relâche; ce qui ne veut pas dire rapidement, car il fallait s'organiser et surtout se familiariser avec la nouvelle technique et les nouveaux appareils. Neuf mois s'écoulèrent avant de voir Lights of New York (Lumières de New York) paraître sur l'écran du Strand Theatre (6 juillet 1928). Cette fois, c'était bien d'un film parlant qu'il s'agissait, un film parlant de la première à la dernière image. De son côté, la Paramount, qui s'était hardiment lancée dans les voies nouvelles, présentait un film dont Evelyn Brent était la vedette : Interference, qui fut présenté à Paris en février 1929, amputé de ses paroles. La société rouvrait un vieux studio qu'elle possédait à Long Island et elle en faisait un Centre du film parlant, dirigé par Monta Bell. Robert Florey, après plusieurs films expérimentaux de 2 ou 3 bobines, y fit une comédie dont Estelle Taylor fut la vedette : The Pusher in the Face. S'étant ainsi équipée, la Paramount annonça qu'au cours de la saison 1929-1930, elle lancerait 70 grands films dont 50 parlants. Les autres grandes compagnies en firent autant, la Metro promettant 40 films parlants, la Fox 30, First National 30, Universal 16 et les United Artists proclamant hardiment que désormais tous leurs films seraient parlants. Comment faire autrement, alors que les salles de projection qui avaient pu s'équiper en sonore voyaient leurs recettes monter au détriment de celles qui étaient restées au régime du silence ? Ce que confirma une statistique établie au cours de l'été 1928, d'après laquelle les établissements projetant des films parlants faisaient des recettes dépassant de 75 à 100 % leurs meilleures moyennes encaissées en pleine saison dans les années les plus favorisées. Le cinéma parlant avait gagné la partie. Il lui restait à s'organiser.

réorganisation du marché américain

A la fin de 1928, les estimations les plus optimistes prévoyaient que, sur les 20 000 salles américaines, 5 000 à 6 000 parmi les plus importantes pourraient être équipées en sonore avant l'été 1929. C'était beaucoup, étant donné l'importance de l'entreprise. C'était très peu en face de l'impatience du public. Il fallait en même temps procéder à la transformation des studios et former un personnel. Cinquante millions de dollars furent en six mois consacrés à cette modernisation et on était loin d'avoir fait tout ce qui était nécessaire. Il fallait aussi réorganiser les services des journaux filmés. On y réussit assez rapidement et, à la fin de 1928, les Fox News possédaient aux États-Unis et en Europe 50 équipes d'enregistrement sonore qui avaient accompli des prouesses, notamment aux conférences internationales.

L'adaptation se fit encore plus facile lorsque les compagnies exploitant les deux procédés d'enregistrement sonore — Vitaphone, qui employait l'enregistrement du son sur disque, et Movietone qui, par utilisation de la cellule photo-électrique, enregistrait le son dans la marge de la pellicule cinématographique — se furent mises d'accord sur l'interchangeabilité de leurs systèmes et admirent que les films enregistrés par les appareils de chacune d'elles pourraient être projetés par des appareils de n'importe quel autre système, ce qui en fait mettait hors de course le Vitaphone et généralisait l'emploi du système Movietone. Quant à la question des prix — un film parlant étant naturellement plus coûteux qu'un film muet — ce fut comme toujours le spectateur qui en fit les frais, les directeurs de salles ayant avec un ensemble parfait augmenté le prix des places. Une autre ombre au tableau venait du risque, auquel les firmes de production étaient exposées, de perdre leur clientèle étrangère; ce qui était grave, toute l'économie hollywoodienne reposant sur l'exploitation des marchés étrangers. On ne pouvait tout de même pas forcer les exploitants français, allemands et roumains à projeter sur leurs écrans des films dont leur clientèle ne comprendrait pas les répliques. L'ingénieur Edwin Hopkins trouva la solution à ce problème, grâce à un procédé qu'il avait imaginé pour permettre à de grandes vedettes du muet, dont la voix était difficilement enregistrable, de s'exprimer par le truchement d'acteurs invisibles mais phonogéniques. Ce fut ce que, très vite, on appela le « doublage ». Un autre technicien, Jacob Karol, eut l'idée de l'utiliser en faisant prononcer par ces acteurs invisibles des paroles différentes de celles qu'avaient prononcées les acteurs que l'on voyait sur les écrans. Dès lors, rien ne s'opposait plus à ce que, d'un film parlant américain, on fît un film parlant français ou espagnol. Les marchés étrangers ne seraient pas perdus. Ainsi, le cinéma américain avait accompli la révolution dont il avait besoin pour ne pas mourir, une révolution dont Georges Charensol a dit qu'elle constituait « pour le cinéma une seconde naissance » et André Malraux qu'elle n'apportait pas plus « un perfectionnement du muet que l'ascenseur n'apporte un perfectionnement du gratte-ciel »... Il restait au cinéma américain à produire des œuvres.

En Europe, la révolution provoquée par l'irruption du parlant dans la vie cinématographique fut peut-être encore plus grande qu'en Amérique. Particulièrement en France, et ce pour plusieurs raisons. La première fut que, les Français tenant à leurs habitudes, leurs cinéastes étaient gênés d'avoir à en changer sous la pression et au profit de l'étranger, puisqu'il leur faudrait adopter un procédé technique et des méthodes de travail ignorés d'eux. Aussi l'opposition fut-elle vive et s'exprima-t-elle sous les formes les plus énergiques, en faisant feu de toutes pierres. Voici par exemple l'opinion d'un des critiques les plus lucides de l'heure, Léon Moussinac : « La parole n'a pas plus de rapports avec le cinéma que la littérature. » Jacques Feyder : « En quoi le cinéma parlant peut-il bien intéresser le cinéma? Quels rapports entre eux? A peu près, et encore! ceux du music-hall et de la tragédie. » Abel Gance : « Le film parlé? Oui pour des documentaires, pour l'embaumement vivant des grands orateurs, des grands tragédiens, des grands chanteurs. Mais qu'on le proscrive pour tout le reste! L'agonie du cinéma n'a pas besoin de ce bavardage à son chevet. » Du côté des acteurs,

révolution et réactions en Europe

on n'était pas moins formel : « Le film parlant ? C'est un monstre non viable, la combinaison absurde de deux moyens d'expression antinomiques et voués à un échec très rapidement évident » affirmait Pierre Fresnay, pendant que Damia s'exclamait : « Le bruit, bravo ! La parole, non ! » En revanche, les écrivains et les auteurs dramatiques, qui pensaient peut-être égoïstement que maintenant le cinéma leur ferait une plus large place, n'hésitaient pas à proclamer leur foi : « Je crois au cinéma parlant » déclarait André Gide, « je crois qu'il est appelé à prendre une réelle valeur artistique dès qu'on s'adressera à de vrais écrivains. » Tristan Bernard, renonçant à son scepticisme et à son ironie habituels, prophétisait : « Quand le cinéma parlant se sera perfectionné, on s'apercevra qu'il a sur le théâtre l'avantage d'être plus expressif tout en étant moins bavard. » Affirmation qui, en une formule plus ramassée, prend son sens complet sous la plume de Marcel Pagnol : « Le cinéma parlant est la forme nouvelle de l'art dramatique. » C'est sur cette formule qu'une bonne partie du personnel cinématographique français va vivre des années durant. Toutes ces opinions sont, au moins dans leur expression, trop péremptoires pour qu'on puisse leur accorder une valeur absolue, mais elles font comprendre le trouble que l'invention américaine avait fait naître dans l'esprit de ceux qui avaient fait du cinéma leur raison de vivre. Plusieurs des opposants ne tardèrent d'ailleurs pas à tempérer leurs prises de position. Tel Abel Gance qui se hasardera à dire : « Perdre confiance ! Désespérer ! Non ! Travaillons. Il faut croire au film parlant et sonore ! » Non moins résigné à une évolution dans laquelle il n'était pour rien, Marcel L'Herbier trouva ingénieusement de bonnes raisons d'accepter ce qu'il ne pouvait, pas plus que ses confrères, empêcher : « Tout ce qui augmente la matière cinématographique, tout ce qui accroît les genres d'ondes susceptibles d'être transformées par le spectateur en potentiel d'émotivité est d'essence cinématographique par excellence et par définition. » Après cela, il n'y avait plus qu'à se mettre au travail. C'est ce que firent, en dépit de tout ce qu'ils avaient dit, tous ceux qui le purent.

En Allemagne, la révolution fut moins profonde, la société Tobis (Tonbild Syndikat) ayant en sa possession les brevets d'un procédé, dit

Triergon, inventé par les ingénieurs Hans Vogt, Joë Engl et Joseph Massolle, et qui permettait l'inscription photographique du son sur la pellicule cinématographique. Après un passage assez mystérieux entre les mains d'une société suisse, ces brevets permirent à la Tobis de produire des films sonores et parlants sans rien devoir à l'Amérique. C'était un sérieux avantage. Elle en profita, après avoir signé un accord avec le Deutscher Lichtspiel Syndikat (groupement professionnel des directeurs de salles), pour présenter à l'Atrium Beba Palace de Berlin, dès janvier 1929, un premier programme de cinéma parlant.

En Italie, soucieux comme il l'était de défendre par tous les moyens le cinéma national, Mussolini interdit purement et simplement la projection de films ne parlant pas italien. Les studios du groupe Pittaluga ripostèrent en doublant en italien des films de coproduction germano-française arrivant de Berlin, lesquels furent immédiatement frappés d'une taxe supplémentaire.

En Angleterre, où les films parlants produits par Hollywood étaient compréhensibles pour tous les spectateurs, il y eut pourtant une certaine réaction : « Il ne faut pas imaginer que l'Angleterre va marcher pour les films parlants ou sonores » écrivait le critique du Daily Film Renter. Cette opposition ne dura pas et la curiosité l'emporta sans peine. Dès la fin de 1928, plus de 50 salles étaient équipées en sonore et au début de 1930, il y en avait 400. En aucun autre pays le passage du muet au parlant n'avait été aussi rapide, du moins en ce qui concerne l'exploitation. Pour une fois, l'Angleterre avait renoncé à sa traditionnelle politique du wait and see. Plusieurs studios de production avaient en même temps été équipés, soit avec du matériel anglais mis rapidement en fabrication, soit avec du matériel venu d'Amérique. C'est dans ces studios que vinrent travailler les metteurs en scène français qui entreprirent les premiers films parlants [1].

Quant au cinéma soviétique, vivant en vase clos, il n'eut pas à se défendre contre l'invention nouvelle, à laquelle il resta indifférent jusqu'en 1929, quand deux ingénieurs, Tager et Chorine, se livrèrent à quelques essais. Les deux grands hommes du cinéma national, S. M. Eisenstein et V. Poudovkine, n'attendirent pas les résultats de cette expérience pour prendre nettement position en un manifeste, que signa aussi G. V. Alexandrov, qui avait été le disciple et

Al Jolson : **Le chanteur de jazz** (1927), premier film comportant non seulement de la musique mais un dialogue parlé.

[1] Cf. p. 90.

ensuite l'assistant de Serge M. Eisenstein.
Parlant en hommes pour qui le cinéma, art
visuel, tire son originalité et sa personnalité
avant tout du montage, ils ne craignaient pas
d'affirmer qu'une « fausse utilisation des
possibilités créées par cette invention risquait
de ralentir l'évolution de l'art cinématographique et même d'anéantir les progrès déjà
faits ». Allant plus loin encore, ils disaient :
« Le cinéma parlant est une arme à deux
tranchants, qu'on utilisera selon la loi du
moindre effort, c'est-à-dire simplement pour
satisfaire la curiosité du public. » Eisenstein
et Poudovkine, comme tous les autres, finirent
par céder. Mais, dans une certaine mesure,
ils n'oublièrent pas ce qu'ils avaient dit.
La résistance dura plus ou moins longtemps,
selon les pays, et la production reprit son
cours. Ce fut naturellement à Hollywood que la
situation se rétablit le plus facilement puisqu'en
1929, les studios produisirent plus de 500 films,
dont 289 parlants.

la grande époque

Le film musical américain assure la carrière de Maurice Chevalier au cinéma.

Amérique

La révolution provoquée par le parlant n'avait pas seulement affecté la vie matérielle des studios, elle avait eu une influence considérable, artistiquement parlant. Tout d'abord, quelques-unes des grandes vedettes se trouvèrent dans l'impossibilité absolue de se plier aux exigences du micro. Comme on ne voulait pas perdre les avantages commerciaux que représentait leur popularité, on usa du doublage et, pendant un temps, elles continuèrent à paraître sur les écrans dotées d'une voix qui n'était pas la leur. Très vite, on renonça à ce subterfuge qui compliquait considérablement le travail et les infortunées durent prendre leur retraite. Deuxième conséquence, encore plus importante : la naissance de genres nouveaux dans la production, à commencer par les films-opérettes et les comédies musicales.

musique d'abord

On ne peut pas dire que Le chanteur de jazz soit une comédie musicale, mais son succès avait suffi à prouver combien pouvait être avantageuse l'adjonction à la parole de musique et de chant, dont l'enregistrement et la reproduction possédaient une qualité qui souvent manquait encore à la parole. La Paramount avait été la première des grandes compagnies à le comprendre et, sans hésiter, elle avait engagé Maurice Chevalier, ce qui peut paraître surprenant car, bien qu'ayant paru dans plusieurs films, on ne pouvait pas le considérer comme une véritable vedette de l'écran. Mais il avait fait des tournées en Amérique et plusieurs de ses chansons y étaient populaires. La Paramount le confia donc aux bons soins d'Ernst Lubitsch pour former avec Jeanette Mac Donald le couple-vedette de Love Parade (Parade d'amour) dont la musique était de Victor Schertzinger. Tout le monde — ce n'est pas une façon de parler — en fredonna la valse et la « marche des grenadiers ». Le film-opérette était lancé (1929). Sa vogue dépassa tout ce qu'on pouvait raisonnablement espérer. Du même coup, Jeanette Mac Donald et Maurice Chevalier avaient été portés au premier rang des vedettes hollywoodiennes. On les retrouvera dans La veuve joyeuse que réalisera Lubitsch en 1934. Parmi les autres chanteuses qui mirent leur talent au service de ce nouveau genre de spectacle, celle qui s'empara le plus facilement de la faveur des

Fred Astaire fait triompher un genre cinématographique nouveau : le film de danse.

foules est certainement Grace Moore, venue des cabarets et des scènes d'opérette. Ses succès à l'écran sont Une nuit d'amour qui rendit un peu de sa vogue à l'Italien Tullio Carminati et Aimez-moi toujours de Victor Schertzinger. Auprès d'elle, il faut placer Lily Pons (Griserie), Gladys Swarthout (La rose du ranch, Le chanteur de Naples avec Jan Kiepura pour partenaire), ces films se rattachant plutôt au genre « comédie musicale » qu'à l'opérette. Du côté masculin, le film musical fournit à un musicien d'orchestre de jazz, Bing Crosby, l'occasion de débuter dans une carrière qui sera une des plus longues et des plus heureuses de Hollywood. Ses premiers pas y avaient été des plus prudents, mais l'heure du succès sonna pour lui le jour où la Paramount lui confia un rôle dans College Humor, film inspiré d'une publication humoristique prétendant évoquer la vie des étudiants dans un grand collège. Dès lors, il passa de film en film, jusqu'à Going Hollywood, dont il partagea la vedette avec Marion Davies et qui lui valut de figurer sur la liste des dix meilleurs acteurs de Hollywood, et à Mississipi, où il fut le partenaire de W. C. Fields et de Fred Astaire. On retrouvera son nom tout au long de l'histoire du cinéma américain. Mais il n'y eut pas que des chanteuses et des chanteurs qui participèrent à la production des films musicaux; il y eut aussi des danseurs et des danseuses. Et tout d'abord l'incomparable Fred Astaire, formant avec Ginger Rogers le couple le plus harmonieux que l'on puisse souhaiter. Vingt films sont là pour le prouver, et plus particulièrement Top Hat, Roberta, Swing Time, La grande farandole où ils ressuscitaient le couple des Vernon Castle qui, après 1910, avait été le grand propagateur du cake-walk. Dans la même spécialité, il faut faire une place, la première après Fred Astaire, à Eleanor Powell (L'amiral mène la danse) qui, après avoir mené au succès le premier Broadway Melody (1929) et le deuxième, avec Robert Taylor et Sophie Tucker, fut la partenaire de Fred Astaire dans le troisième; mais avec Broadway Melody on quitte le domaine de la danse pour celui du music-hall à grand spectacle qui, lui aussi, inspira assez heureusement le nouveau cinéma. Les spectacles de music-hall étaient alors d'une somptuosité qui aurait pu décourager les producteurs de films; mais les moyens techniques dont dispose le cinéma lui permettent des truquages impossibles sur les

scènes les mieux machinées; ils lui donnent des avantages dont on se rendit compte en face de films comme *Fox Follies* **(1929)**, *Gold Diggers* (Chercheuses d'or), *Goldwyn Follies* — avec la danseuse Vera Zorina dans une parodie des Ballets russes de Serge de Diaghilev —, *Le grand Ziegfeld* de Robert Z. Leonard, le plus gigantesque « déballage » auquel le genre ait donné lieu, au milieu duquel on reconnaissait des vedettes comme William Powell, Myrna Loy et l'émouvante Luise Rainer venue de Vienne tenter sa chance à Hollywood. Il arriva encore que des tableaux de music-hall à grande mise en scène fussent intercalés dans des films sentimentaux ou mélodramatiques, comme ce fut le cas pour *42d Street* de Lloyd Bacon : formule hybride dont le succès fit naître nombre d'imitations. Quand le succès de ce genre de films diminua, on essaya de le ranimer par des attractions originales, comme ce fut le cas de plusieurs bandes dont la vedette fut la gentille championne du patinage artistique : Sonja Henie.

La comédie musicale aborde des sujets d'actualité : Joan Blondell chante devant une figuration de chômeurs et de militaires dans **Gold Diggers 1933**.

renaissance du « burlesque »

Quand le cinéma se mit à parler, les vedettes de l'École comique semblaient à peu près au bout de leur rouleau. Elles essayèrent donc de mettre à profit la nouvelle invention pour commencer une seconde carrière. Harold Lloyd y réussit à peu près et, de 1929 à 1938, il donna aux écrans six films dont les meilleurs sont A la hauteur — assez adroite utilisation de ce qui avait fait le succès de Monte là-dessus! — et Silence, on tourne!, qui vaut par les « gags » sonores dont Lloyd avait pris l'idée dans les procédés techniques nouveaux employés dans les studios et encore peu connus. Buster Keaton fut moins heureux. Dans les films en tête desquels brilla son nom, il ne fit déjà plus figure de vedette, que ce soit dans Le figurant, dans L'opérateur, où il demande à la vie des studios de lui fournir matière à faire rire, ou dans Le roi de la bière qui fait pressentir — de loin — Les temps modernes. Pendant que les étoiles de ces deux hommes déclinent, monte à l'horizon celle d'Eddie Cantor, qui entoure ses ahurissements d'évolutions de jolies filles hardiment déshabillées (Roman Scandals, Arabian Nights). Vient lui faire concurrence un autre ahuri, Joe E. Brown, qui tire sa force comique de son physique à la mâchoire chevaline, dont il fait un étonnant

Anita Page et Robert Montgomery dans **Le metteur en scène** (Free and Easy) d'Edward Sedgwick, l'un des films où Buster Keaton tenta de survivre au cinéma muet.

J. E. Brown (ci-contre) et Eddie Cantor (extrême gauche) tentent de renouveler le burlesque en promenant leurs ahurissements au milieu de jolies filles. Ils passeront, les « girls » resteront (à droite : Robert Florey et le « cast » de **Cocoanuts**).

Avec Laurel et Hardy, le personnage de l'ahuri prend enfin toute sa force comique. Ci-dessous, **The Perfect Day** (1929) avec Mae Busch.

emploi dans Une fièvre de cheval. C'est encore à la tradition Harold Lloyd-Buster Keaton que se rattache le couple formé par le maigriot Stan Laurel, Anglais comme Chaplin, et le rondouillard Oliver Hardy, Américain, réunis sur l'initiative de Hal Roach. Le premier était un comédien plein de finesse et le second un excellent « faire valoir ». Ce qu'avait d'heureux l'accointance de ces deux hommes si profondément antithétiques s'affirma en 1931 dans Une nuit extravagante et, dix années durant, ne perdit rien de son efficacité (Laurel et Hardy au Far West, Fra Diavolo et surtout Têtes de pioches que dirigea John G. Blystone) car, s'étant disloqué en 1937, le tandem se reconstitua bien vite, chacun des deux s'étant rendu compte que, séparé de l'autre, il perdait plus de la moitié de sa force comique : et ce fut Les as d'Oxford où, dirigés par Hal Roach junior, ils se retrouvèrent les plus sympathiques des débrouillards maladroits. Mais voici qui est plus original et qui constitue une des belles aventures du cinéma.

Un soir de 1927, de passage à San Francisco, Robert Florey avait assisté à la représentation d'une opérette d'Irving Berlin : Cocoanuts. Les rôles principaux y étaient tenus par quatre clowns complètement inconnus : Harpo, Chico, Zeppo et Groucho Marx. Robert Florey avait été amusé et il ne les avait pas oubliés. Deux ans plus tard, travaillant au Centre du film parlant, il les avait revus sur une scène new-yorkaise dans une autre opérette : Animal Crackers. Il les avait fait débuter sur l'écran dans un film tiré de Cocoanuts qui, lors de sa preview, avait provoqué 400 éclats de rire

en 140 minutes de projection. Auprès du public, le succès fut encore plus grand. Et pourquoi ? C'est que le comique des Marx Brothers est un comique entièrement nouveau, qui n'a rien de « bon enfant », rien d'improvisé. C'est un comique volontaire, organisé, poussant l'arbitraire avec une logique de catastrophe, jusqu'à être un défi au bon sens, à la raison, à l'intelligence, avec une ostentation dans la provocation contre laquelle on n'a pas le temps de s'élever, car l'action est menée à un train d'enfer : le burlesque devient le loufoque, ce qui est une innovation. La formule avait du bon. Monnaie de singe, Soupe au canard, Plumes de cheval, Une nuit à l'opéra et quelques autres titres en sont la preuve. Pour juger à sa juste valeur le mérite de ceux qui l'ont mise au point et qui l'ont exploitée pendant plus de dix ans, il suffit de penser à ce que cette formule a donné, recueillie par ceux qui se voulaient les rivaux des Marx Brothers : les Ritz Brothers.

C'est aussi du music-hall que vint au cinéma le comique le plus original de l'époque : W. C. Fields. Avec sa face lunaire, ses petits yeux malicieux, son gros nez bourgeonnant, ses bafouillements, c'est un étonnant personnage de loufoque qui apparaît dans Million Dollar Legs **(1932)**, Le président fantôme,

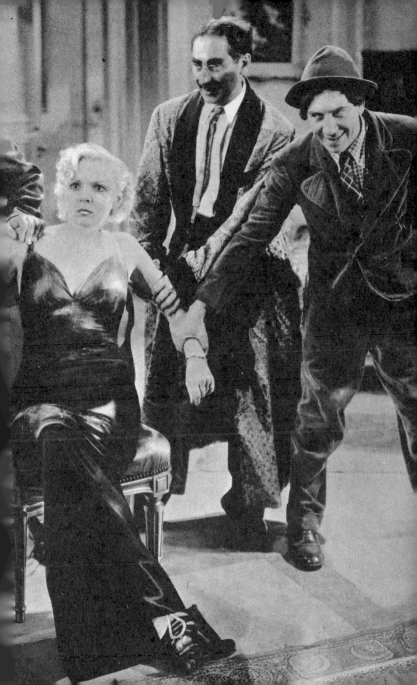

Page précédente. Un
comique nouveau, lo-
gique jusqu'à la lou-
foquerie : les Marx
Brothers dans **Un jour
aux courses** (1936). —
W. C. Fields, un « lou-
foque » qui fut aussi
un comédien (err p. 30).

Mae West incarne et
à la fois ridiculise le
« sex-appeal » des an-
nées trente.

Si j'avais un million, le premier « film à
sketches », dont les réalisateurs sont Lubitsch,
James Cruze, Norman Taurog et les interprètes
Gary Cooper, Charles Laughton, George Raft.
Mais ce loufoque est un grand comédien, qui
n'a eu d'autre école que la vie et n'a rien oublié
de ce qu'il y a appris. Il suffit pour en être
convaincu de l'avoir vu dans le personnage
de Micawber du David Copperfield que George
Cukor tira en 1935 du roman de Dickens.
C'est encore au burlesque qu'il convient de
rattacher une autre personnalité hors série,
qui fit son apparition dans les studios en 1932 :
Mae West, une sorte de phénomène féminin.
Blonde plantureuse, aussi vulgaire par son
physique que par son comportement, elle
s'était imposée sur la scène par sa verve
populacière, son abattage insolent et son
sex-appeal agressif. Ayant transporté cette
personnalité au studio, elle souleva, pendant
près de dix ans, les protestations des ligues
de moralité avec des films comme Lady Lou,

Je ne suis pas un ange, Fifi-Peau de pêche, tableaux de mœurs 1900 qui ont, grâce à elle, une forte saveur de loufoquerie.

Chaplin

Ce sont là des formes nouvelles de comique, que le cinéma n'aurait pas connues s'il n'avait pas acquis l'usage de la parole. Cette acquisition n'avait pourtant pas eu de plus farouche adversaire que celui en qui le monde entier voyait le maître du comique cinématographique : Charlie Chaplin. « Les talkies, vous pouvez dire que je les déteste », déclara-t-il à un journaliste du Motion Picture, « ils anéantissent la grande beauté du silence. » Dès 1921, au cours de son voyage en Europe, il avait déclaré un soir, chez H. G. Wells : « Je n'estime pas que la parole soit nécessaire : elle gâche l'art comme le ferait une statue peinte. Le cinéma est l'art de la pantomime qui peut aussi se produire au théâtre. Avec la parole, il n'y aurait plus de place pour l'imagination [1]. » Chaplin rejoint ici René Clair disant : « Les héros de l'écran parlaient à l'imagination avec la complicité du silence [2]. » Un autre jour, il reviendra sur l'importance du silence dans l'art cinématographique en se demandant : « Le silence, cette grâce universelle, combien de nous savent en jouir, peut-être parce qu'on ne peut l'acheter [3]. » Ainsi son opposition est raisonnée. Elle vient de loin. Elle durera et se renforcera peut-être. Chaplin déclarera à Léon Bailby : « Depuis la venue des talkies, je me suis fait un devoir d'aller presque chaque soir dans quelque cinéma équipé en sonore pour étudier les films qui y étaient présentés et la manière dont le public réagissait. J'espère que je n'ai pas de préjugés, mais après avoir vu beaucoup de films parlants, je maintiens que la plus grande bêtise de ma vie serait de quitter pour eux la pantomime [4]. » Comme presque toujours en pareil cas, même quand on est l'auteur de L'opinion publique et de La ruée vers l'or, c'est à une solution bâtarde qu'aboutiront ces indécisions, ce besoin de rester digne d'un passé dont on ne veut pas se délivrer dédaigneusement, comme ont fait tous les autres. Cette solution bâtarde fut City Lights

[1] Peter Cotes et Thelma Niklaus : **Charlot**. Nouvelles Éditions de Paris, 1951.

[2] René Clair : **Réflexion faite**. Paris, Gallimard, 1951.

[3] Cité par Pierre Leprohon : **Charles Chaplin**. Paris, J. Melot, 1946.

[4] **Pour vous,** 16 octobre 1930.

(Les lumières de la ville) dont Chaplin a dit lui-même que « musique et chanson deviennent le fond de l'action et y sont presque aussi importantes que le jeu lui-même [1]. » Mais on n'y trouve pas de dialogue « car c'est uniquement le dialogue qui est responsable du ralentissement de l'action ». Chaplin composa lui-même la musique dont il avait besoin. City Lights est le film le plus sentimental, le plus « fleur bleue » de toute l'œuvre chaplinesque. L'éternel vagabond s'y éprend d'une petite fleuriste aveugle; après quelques péripéties romanesques où Charlot a montré son grand cœur, elle recouvre la vue et découvre que le petit homme à qui elle va faire l'aumône est son bienfaiteur. « On n'ose penser, a écrit René Clair, à ce que cette scène serait devenue si elle avait été dirigée par un autre et, mieux encore, si elle avait été dialoguée par un de nos spécialistes. Telle qu'elle est, rien ne peut lui être comparé : tout est parfait, tout porte la marque du génie [2]. » Présenté le 30 janvier 1931 à New York, le film, dont la formule plut, fut l'événement de la saison. Virginia Cherril, qui incarnait la jeune marchande de fleurs, y remporta un succès personnel. Il faudra attendre cinq ans avant de voir un nouveau film de Chaplin (février 1936). Mais auparavant, celui-ci aura épousé Paulette Goddard, qui y sera sa partenaire. Ce film, Modern Times (Les temps modernes), n'est pas encore un film parlant, mais il est sonore et, faisant un pas de plus vers ce qu'il ne peut empêcher, Chaplin y chante sur un air de rengaine populaire des paroles qu'il improvise et qui n'ont de sens en aucune langue connue. Le sujet du film est la mise en esclavage de l'homme au moyen de la machine. Cette fois, le ton est âpre, amer. « Il se dégage de ce film une velléité sournoise de satire à l'arrière-goût de bolchevisme » a dit André Antoine quand le film arriva à Paris [1]. En 1942, de Londres, Pierre Bourdan dira : « Insensiblement Chaplin s'est élevé et il a élevé avec lui le personnage du gueux, du little man, à la hauteur du problème fondamental qui est

---

[1] Cité par Pierre Leprohon : **Op. cit.**
[2] René Clair : **Op. cit.**

Mischa Auer se livre à des démonstrations simiesques devant Eugene Pallette, Carole Lombard et Alice Brady : **My Man Godfrey** (1936), comédie légère de Gregory La Cava.

Frank Capra hausse la comédie américaine au niveau de la comédie de mœurs : Gary Cooper est **L'extravagant Mr. Deeds** (1936).

celui du destin de l'homme... C'est l'homme tout court qui est aux prises avec la machine, qui menace aujourd'hui de le terrasser. C'est le vieux mythe de l'apprenti sorcier. Mais avec une réalité si cruelle que le public le plus simple, en présence de " la machine à nourrir l'ouvrier ", était partagé entre l'hilarité et une sorte de panique [1]. » Pourtant le film comporte une fin optimiste, qui montre, s'éloignant sur une route, main dans la main, le couple que forme Charlot avec la femme qu'il aime, en marche vers l'avenir.

A l'heure où Chaplin prenait ainsi la défense de l'homme contre le machinisme, la liberté humaine se trouvait menacée par un tout autre danger : celui que faisait peser sur lui

James Stewart et Jean Arthur dans **Vous ne l'emporterez pas avec vous** (1938) : F. Capra se moque de la richesse.

---

[1] Ce texte a été reproduit par **Le Figaro littéraire** du 14 mai 1949.

la dictature hitlérienne. Deux années durant, il avait pensé à ce danger, puis deux années de travail donnèrent naissance à un film qu'il intitula bravement The Great Dictator. Présenté à Hollywood le 15 octobre 1940, le film ne commença sa carrière qu'après l'entrée en guerre des États-Unis.

La « comédie américaine »

On sait l'importance du gag dans le film comique, qu'il s'agisse des films nés de ce qu'on pourrait regarder comme l'École classique du comique ou des formes nouvelles qu'il a prises avec les Marx et consorts. Il ne tient pas une moindre place dans ces films où il s'agit de faire naître le sourire plutôt que le rire bruyant, et qui constituent un genre nouveau où le dialogue a son importance : la « comédie américaine », triomphe de l'humour, du détail révélateur d'un état d'âme, du geste inattendu qui résume une longue tirade. Il semble bien que l'initiateur du genre soit Ernst Lubitsch avec Sérénade à trois, tirée d'une comédie de Noel Coward, et spirituellement interprétée par Miriam Hopkins, Gary

Cooper et Fredric March (1933). Frank Capra n'est pas loin de le valoir, avec *New York-Miami*, que jouaient Claudette Colbert et Clark Gable. Aussi aimables et représentatifs du genre, bien qu'il soit impossible de les comparer, voici *Theodora devient folle* de Richard Boleslawski, avec Irene Dunne et Melvyn Douglas, *Madame et son clochard* de Norman Z. Mac Leod, avec Constance Bennett et Brian Aherne, *My Man Godfrey* de **Gregory La Cava**,

Folklore et piété. Ci-dessous : **Hallelujah!** (1929) de King Vidor. Pp. suivantes : **Verts pâturages** (1936) de Connelly et Keighley.

avec Carole Lombard et William Powell. C'est, au cinéma américain, ce qu'on appelle au théâtre français la « comédie de boulevard ». Rapidement, Frank Capra, dont le chef-d'œuvre pour cette première période est L'extravagant Mr. Deeds, élargit sa manière; il l'enrichit d'intentions satiriques et, pourrait-on dire, sociales, inscrivant dans son œuvre les deux films qui en marquent les sommets et qui laissent voir combien grande était la liberté d'expression dont le cinéma jouissait : Vous ne l'emporterez pas avec vous, satire fort incisive de la puissance de l'argent, et Mr. Smith au sénat, violente et joyeuse critique de l'hypocrisie de certaines mœurs parlementaires et des scandales qui en résultent. James Stewart s'y affirma grand acteur, tant par sa simplicité que par son autorité.

folklore noir

Il est encore un genre dont, du seul fait qu'il possédait l'usage du son et de la parole, le cinéma américain put s'enrichir : les films de folklore noir. Ils ne sont pas nombreux mais Hallelujah!, qui marque les débuts du genre, est un chef-d'œuvre : le premier chef-d'œuvre parlant ayant paru sur les écrans en 1929.

L'auteur de Hallelujah! est King Vidor. C'est à la fois une étude de l'âme noire et une mise en valeur du charme qui se dégage de la musique et du chant. Pour la première fois, le spectateur avait l'impression que le son contribuait à la beauté des images, qu'il y ajoutait quelque chose et même que le silence avait une valeur propre. Une scène du film est restée célèbre : celle où deux hommes se cherchent dans la forêt marécageuse. Clapotement des pas dans l'eau, craquement d'une branche, cri d'un oiseau suffisent à créer une émotion qui agit sur les nerfs avec une intensité à laquelle n'a jamais atteint, depuis lors, le plus habile suspense de Hitchcock. Il n'y a malheureusement pas d'autre Hallelujah! dans l'œuvre de Vidor et il n'y a guère pour s'en approcher que Les verts pâturages de William Keighley, d'après une pièce de Connelly applaudie à Broadway (1936). Illustration naïve d'une foi sincère, montrant comment l'imagination de petits Noirs, fécondée par les leçons d'un pasteur, voit Dieu le Père, les anges et les élus passer l'éternité à chanter dans un paradis de féerie.

Une des critiques adressées au procédé
d'enregistrement sonore du Suédois Sven
Berglund avait été qu'il ne permettrait pas
de « reproduire le bruit du train qui passe,
la bataille à coups de revolver ». Or il s'est
trouvé précisément que, grâce aux ingénieurs
de la Western Electric, tous ces bruits facilement enregistrés et remarquablement repro-
duits ont fourni un élément d'intérêt nouveau
au film dit policier, devenu le film de gangsters,
puisqu'à l'époque où le parlant naissait,
l'Amérique était en proie aux gangs. Le
grincement des freins d'une puissante auto
qui tourne le coin d'une rue, la rafale de
mitraillette qui protège la retraite du chef,
la sirène des voitures de police, les cris aigus
des femmes dans le fracas des glaces et des
verres brisés lors de la bagarre dans un bar,
quel appoint pour un metteur en scène soucieux
d'agir sur les nerfs de ses spectateurs! Le film
de gangsters, résultat de la conjonction entre
un phénomène social et un progrès technique,
va donc régner pendant des années sur la

gangstérisme

Vince Barnett et Paul Muni dans **Scarface** (1932) de H. Hawks, d'après l'histoire véridique d'Al Capone.

Inspiré aussi d'une histoire vraie, celle d'un innocent traqué, **Je suis un évadé** de Mervyn le Roy (1932).

production américaine. Il est impossible de parler de tous ces films : ils sont trop nombreux. Citons-en quelques-uns, et d'abord Scarface et City Streets (Les carrefours de la ville), qui peuvent être regardés comme des modèles du genre. L'auteur de City Streets était un Arménien, Rouben Mamoulian, arrivé aux U.S.A. en 1925. Militant dans l'avant-garde, il avait dirigé le Theatre Guild de New York. City Streets était son deuxième film. Le scénario, dû à Dashiell Hammett, entrecroisait fort adroitement une histoire policière et une histoire d'amour dont les héros étaient Gary Cooper et Sylvia Sidney. Le film se terminait par une poursuite des plus classiques entre une automobile et un train, poursuite à laquelle une remarquable utilisation des bruits apportait un intérêt nouveau. Toutes les qualités de City Streets, on les retrouve, portées à leur paroxysme, dans Scarface (Le balafré) dont Ben Hecht avait écrit le scénario en s'inspirant sans fausse honte des exploits du célèbre Al Capone. Ces exploits, Howard Hawks les reconstitua avec ce sens du pittoresque qu'il avait déjà déployé dans A Girl in every Port. Scarface eut de graves ennuis avec la censure,

qui lui reprochait son immoralité, alors qu'il était tout simplement le tableau cruel mais exact d'une réalité criminelle à laquelle l'Amérique n'arrivait pas à mettre fin. Après Scarface, dont ils tenaient les deux rôles principaux, Paul Muni et George Raft étaient devenus célèbres dans le monde entier. Le premier accrut encore cette célébrité avec Je suis un évadé de Mervyn Le Roy, d'après un reportage vécu du journaliste Robert Elliott Burns, victime d'une erreur judiciaire; récit d'une épouvantable noirceur, tout comme Big House (c'est-à-dire Sing-Sing, tous les Sing-Sing des États-Unis, où rêvent d'évasion les Scarface sur qui la justice a pu exercer ses rigueurs), Vingt mille ans sous les verrous de Michael Curtiz avec Spencer Tracy et A chaque aube je meurs de William Keighley,

Le grand classique du western : **La chevauchée fantastique** (1939) de John Ford (ci-dessous et p. suivantes).

avec James Cagney que l'on trouve tour à tour policier dans un film et mauvais garçon dans un autre. Tel est aussi le cas d'Edward G. Robinson, un des spécialistes du genre; chef de bande fatigué dans Meurtre sans importance de Lloyd Bacon, il réussit, en grand acteur, à tenir dans Toute la ville en parle — qui, plutôt qu'un film de gangsters, en est une parodie — le rôle d'une « terreur » et celui d'un pauvre bougre, sosie dudit bandit. Signé John Ford, c'était là une œuvre d'une saveur très particulière où s'affirmaient la maîtrise du réalisateur et celle de son interprète principal.

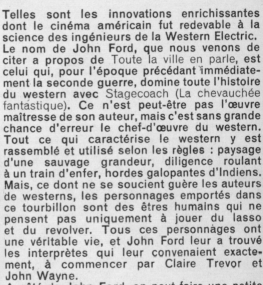

retour au western

Telles sont les innovations enrichissantes dont le cinéma américain fut redevable à la science des ingénieurs de la Western Electric. Le nom de John Ford, que nous venons de citer a propos de Toute la ville en parle, est celui qui, pour l'époque précédant immédiatement la seconde guerre, domine toute l'histoire du western avec Stagecoach (La chevauchée fantastique). Ce n'est peut-être pas l'œuvre maîtresse de son auteur, mais c'est sans grande chance d'erreur le chef-d'œuvre du western. Tout ce qui caractérise le western y est rassemblé et utilisé selon les règles : paysage d'une sauvage grandeur, diligence roulant à un train d'enfer, hordes galopantes d'Indiens. Mais, ce dont ne se soucient guère les auteurs de westerns, les personnages emportés dans ce tourbillon sont des êtres humains qui ne pensent pas uniquement à jouer du lasso et du revolver. Tous ces personnages ont une véritable vie, et John Ford leur a trouvé les interprètes qui leur convenaient exactement, à commencer par Claire Trevor et John Wayne.

A côté de John Ford, on peut faire une petite place à Michael Curtiz dont Les conquérants (1939) reste dans la bonne tradition du western. Celui-ci, dès la naissance du parlant, s'est enrichi d'un nouveau personnage : le « cow-boy chantant » : Dick Foran, Roy Rogers, Gene Autry.

Le parlant permit encore à Will Rogers de perfectionner le personnage qui avait fait son succès au music-hall, celui du cow-boy monologuant avec verve et humour tout en jouant du lasso. Cow-boy non moins original : William Boyd, qui conquit une grande popularité dans le personnage de Hopalong Cassidy.

reconstitutions historiques

Comme le western, les films de reconstitution historique à mise en scène plus ou moins impressionnante sont une des traditions les plus solidement établies des studios américains, qui y voient les productions de prestige dont ils ont besoin. Il n'y a pourtant pas d'Intolérance ni de Ben Hur dans le cinéma américain des premières années du parlant.

Cecil B. de Mille, fidèle à lui-même, ajoute à son bagage, de 1932 à 1935, Le signe de la Croix, avec Charles Laughton et Fredric March, Cléopâtre, avec Claudette Colbert, Les Croisades, avec Loretta Young.

Bien plus que de grandes fresques, toutefois, ce sont des portraits de personnages célèbres,

Un style et un sujet devenus de tradition : Claudette Colbert et Fredric March dans **Cléopâtre** (1934) de Cecil B. de Mille (en page de gauche).

La biographie romancée tente beaucoup de réalisateurs des années trente. Ci-contre : Greta Garbo et John Gilbert dans **La reine Christine** (1934) de Rouben Mamoulian. — En bas à droite : Charles Boyer dans **Marie Walewska** (1934) de Clarence Brown.

de préférence féminins, que brossent les
auteurs de films à prétentions historiques.
La plupart de ceux qui avaient atteint à une
certaine classe cédèrent à la tentation de
faire revivre une des femmes célèbres de
l'histoire. Les premiers ont été Josef von
Sternberg : L'impératrice rouge (Catherine II
de Russie — Marlene Dietrich); Rouben
Mamoulian : La reine Christine (Greta Garbo,
qui fut aussi une Marie Walewska pour Clarence
Brown); Michael Curtiz : La reine Elisabeth
(Bette Davis); John Ford : Mary of Scotland
(Marie Stuart — Katharine Hepburn); W. S. Van

Dyke : Marie-Antoinette **(Norma Shearer)**. Tout cela en moins de dix ans (1931-1938) et non sans certaines libertés avec la vérité ou même la vraisemblance historiques.

D'autres s'attaquèrent à des personnages masculins, tels William Dieterle qui réussit un . beau brelan : Pasteur, Émile Zola, dont Paul Muni fut l'interprète fervent et respectueux, que l'on retrouve dans un Juarez du même Dieterle, avec Bette Davis pour partenaire. Tels encore John Ford : Je n'ai pas tué Lincoln; Alfred E. Green : Disraeli, incarné par le grand comédien anglais George Arliss qui fut aussi Voltaire; Richard Boleslawski qui, avec son Raspoutine, offrit à son public un véritable festival Barrymore : Lionel Barrymore y était Raspoutine, John le prince Youssoupoff et Ethel l'impératrice.

Peut-être et surtout doit-on regarder comme des films historiques ces larges tableaux de mœurs de toute une époque, qui ont pour titres : Cavalcade de Frank Lloyd, d'après une pièce de Noel Coward — histoire d'une

Paul Muni dans **Juarez** (1939) de W. Dieterle.

Un tableau de l'Angleterre à travers l'histoire d'une famille : **Cavalcade** (1933) de Frank Lloyd. Ci-contre : U. Jeans et F. Lawton.

famille anglaise durant le règne de la reine Victoria, un des films les plus prestigieux de l'histoire du cinéma américain, modèle de mesure et de goût, interprétation à la fois pittoresque et sincère, en tête de laquelle on trouvait Diana Wynyard, Clive Brook et Una O'Connor; Le monde en marche, que John Ford voulut donner en réplique à Cavalcade mais qui en reste assez loin; et surtout Autant en emporte le vent de Victor Fleming, d'après le roman de Margaret Mitchell, qui, sous le couvert d'une intrigue romanesque, est un chapitre de l'histoire des États-Unis, au même titre que La naissance d'une nation de Griffith. Le milieu et l'atmosphère étaient remarquablement reconstitués, l'interprétation était excellente, avec Clark Gable, Leslie Howard, Olivia de Havilland et surtout Vivien Leigh. Pour la première fois à Hollywood, la couleur était employée dans un grand film, et de manière fort heureuse. La guerre éclata alors que son exploitation venait à peine de commencer et les écrans européens durent

Une fresque de la guerre de Sécession à travers une intrigue sentimentale : **Autant en emporte le vent** (1939) de V. Fleming.

attendre 1945 pour offrir ce film à leurs
spectateurs, le plus souvent en version réduite,
la projection du film complet durant quatre
heures. Autant en emporte le vent est une des
plus complètes et des plus durables réussites
du cinéma américain.

C'est encore au chapitre des films historiques
qu'appartient La charge de la brigade légère
de Michael Curtiz (1936), qui relate un épisode
de la guerre de Crimée dont la cavalerie
anglaise est fière : image d'Épinal peut-être,
mais qui a laissé un très vif souvenir dans
l'esprit des masses populaires sensibles aux
récits héroïques. On pourrait presque en dire
autant des Trois lanciers du Bengale de Henry

Hathaway (1935), dont l'action, toute romanesque, se déroule dans le cadre de la colonisation des Indes par l'Angleterre.

réalisme

Tous ces films, qu'ils soient policiers, de gangsters ou de reconstitution plus ou moins historique, sont réalisés dans un même esprit : celui qui règne depuis un demi-siècle sur presque toute la production littéraire et sur le spectacle : c'est-à-dire le réalisme. Et le réalisme, depuis Zola et même Eugène Süe, se laisse volontiers attirer par les préoccupations sociales. Aussi n'y a-t-il rien d'étonnant à voir le cinéma américain faire place à des films dont les auteurs se proposent d'ouvrir les yeux et l'esprit de leurs spectateurs sur des questions assez inhabituelles aux entrepreneurs de spectacles. Un des auteurs de films les plus hardis fut certainement William Wyler qui, ayant montré le bout de l'oreille dans Le grand avocat (John Barrymore, 1933), donna au cinéma social une de ses œuvres les plus intéressantes : Rue sans issue, qui traite du problème de l'enfance abandonnée, avec un sérieux qui fait penser à Brieux mais aussi avec une maîtrise indéniable. Sylvia Sidney, Joel Mac Crea et Humphrey Bogart, entourés d'une bande de gosses tirés du

Films d'histoire militaire. Ci-dessus : **La charge de la brigade légère** (1936) de Michael Curtiz. — Ci-contre : **Les trois lanciers du Bengale** (1935) de Henry Hathaway.

ruisseau, en assuraient la très vivante interprétation. Intentions sociales aussi dans Les anges aux figures sales de Michael Curtiz, Pas de pitié pour les kidnappers, Je suis un criminel de Busby Berkeley, Jeunesse triomphante de Lewis Seiler, Des hommes sont nés où Norman Taurog illustre avec talent l'action du Père Flanagan pour le redressement de l'enfance, Dans une pauvre petite rue où Dudley Murphy traite avec une générosité quelque peu naïve le problème du logement dans un quartier ouvrier. Préoccupations sociales, mais d'un autre ordre puisqu'il s'agit de stigmatiser les abus d'une certaine presse, dans Front Page de Lewis Milestone, Chronique mondaine de B. Hyman, Sixième édition et quelques autres qui appartiennent autant, sinon plus, au domaine de la comédie. Il ne faut pourtant pas mettre le point final à ce chapitre sans y faire figurer une des œuvres les plus fortes de cette époque : Le mouchard de John Ford, d'après un roman de Liam O'Flaherty adapté par Dudley Nichols. L'action se déroule à Dublin pendant la révolte des Sinn Feiners; le héros en est un mauvais garçon qui, pris dans les méandres de la guerre civile, livre un de ses camarades; accablé

Pages précédentes :
Victor MacLaglen dans
Le mouchard (1935),
de John Ford, drame
de la trahison et de
la guerre civile.

Pages suivantes : avec
**A l'Ouest rien de
nouveau** (1930), Lewis
Milestone redécouvre
l'horreur de la guerre.

Réalisme et préoccu-
pations sociales. A
gauche, Spencer Tracy
et Mickey Rooney dans
Des hommes sont nés
de Norman Taurog. —
Ci-dessous, Adolphe
Menjou, Pat O'Brien
et George E. Stone
dans **Front Page** (1931)
de Lewis Milestone.

de remords, il finit par être abattu par un ami
de sa victime. Les auteurs étaient Irlandais,
le principal interprète, Victor McLaglen, également, et l'œuvre en prenait un accent d'humanité presque douloureux (1935). Ceux qui
voient dans Le mouchard l'œuvre maîtresse
de John Ford sont aussi nombreux que ceux
qui font cet honneur à La chevauchée
fantastique. A ces deux films certains préfèrent
La patrouille perdue, film d'une scrupuleuse
sobriété où le suspense est très intelligemment
utilisé mais qui, malgré ses qualités, ne semble
pas de la même classe que Le mouchard et
La chevauchée fantastique.
Après les drames de la guerre civile, les
horreurs de la guerre : A l'ouest, rien de
nouveau de Lewis Milestone. Les films ayant
trait à la guerre de 1914-1918 n'ont pas été
nombreux depuis La grande parade et Charlot
soldat. Le mérite de Lewis Milestone n'en est
que plus grand, étant donné que c'est l'œuvre
d'un écrivain ex-ennemi, Erich Maria Remarque,
qui est à l'origine de son film, reconstitution
rigoureuse de la réalité, sans aucune intervention d'élément romanesque.

Dès 1931, l'épouvante
s'installe sur les écrans
et devient un genre
autonome, sacrifiant
au goût de l'antithèse
romantique. Ci-dessus,
Dracula (Bela Lugosi).
— Ci-contre, deux
scènes du premier
Frankenstein.

épouvante, mystère et spiritualisme

En sortant du silence, le cinéma a aussi donné un renouveau d'intérêt aux films d'épouvante, rien ne faisant naître l'effroi mieux que le silence succédant au bruit, si ce n'est un bruit inattendu trouant le silence : pas qui se rapprochent, grincement d'une porte. Ce fut naturellement vers les thèmes et les personnages de l'École expressionniste allemande que Hollywood se tourna, à commencer par le roman de Bram Stoker Dracula qui, après avoir été baptisé Nosferatu le vampire par Murnau, fut américanisé par Tod Browning, intelligemment servi par Bela Lugosi (1930). Le succès fut tel qu'il y eut toute une série de Dracula plus ou moins horrifiants, que vint bientôt concurrencer une série encore plus nombreuse de Frankenstein, héros d'un roman de Mary W. Shelley, qu'incarna à l'écran Boris Karloff, sous la direction de James Whale (1931), puis sous celle de Rowland V. Lee. Dans la voie ainsi ouverte s'engagèrent Ernest Schoedsack (La chasse du comte Zaroff), Michael Curtiz (Masques de cire) et quelques autres dont Robert Florey qui, avec Double assassinat dans la rue Morgue, d'après Edgar A. Poe, donna aux écrans une des œuvres les plus intéressantes dans ce genre difficile.

C'est à faire naître l'épouvante que prétendaient aussi Merian C. Cooper et Ernest Schoedsack avec King Kong, où ils lâchaient dans les rues de New York un gorille géant, amateur de jolies femmes et escaladeur de gratte-ciel. C'était un triomphe des truquages et une suite d'exploits techniques qui intriguaient sans créer d'effroi et faisaient parfois sourire.

A côté de l'épouvante, le mystère : L'homme invisible de James Whale se recommandait par l'interprétation de Claude Rains et par de très ingénieux truquages. Ici aussi, le succès fut tel qu'après L'homme invisible, il y eut Le couple invisible de Norman Z. Mac Leod (Constance Bennett, Cary Grant), où le mystère devenait un élément de comique. Puis le mystère se teinta de spiritualisme. Ce furent L'étrange sursis de Harold S. Bucquet où Sir Cedric Hardwick et Lionel Barrymore campèrent de curieuses figures; et Peter Ibbetson (2e version) de Henry Hathaway : deux films de haute qualité, tant intellectuelle qu'artistique, comme il en sortait trop peu des studios de Hollywood.

Sydney Fox, Leon Adams, Bert Roach : **Double assassinat dans la rue Morgue** (1930) de Robert Florey, d'après Edgar A. Poe.

En haut à gauche : Boris Karloff, ou Frankenstein à la ville.

Monstrueux, gigantesque, onirique, érotique, absurde : **King Kong** (1933) de Cooper et Schoedsack.

De 1930 à 1940, la production américaine n'est
jamais tombée à moins de 600 films par an.
D'autre part, il n'est pas un metteur en scène
sous contrat avec une grande firme qui,
condamné à travailler sans relâche, n'ait au
cours de sa carrière mis son nom en tête d'un
ou même de plusieurs films de valeur.
Voici, parmi ceux qui ont déjà eu une activité
intéressante au temps du muet et qui font
un peu figure de vétérans : Jack Conway
(Viva Villa! avec Wallace Beery, 1934); Sydney
Franklin (The Barrets of Wimpole Street, d'après
la pièce de Robert Browning Miss Ba, avec
Norma Shearer, 1934; The Good Earth, en
français Visages d'Orient, d'après un roman
de Pearl Buck, avec Paul Muni, 1936); Tay
Garnett (Voyage sans retour, avec Kay Francis
et William Powell, 1933 — un des films les
plus sobrement émouvants de toute l'époque);
Edmund Goulding (Victoire sur la nuit, avec

Bette Davis, 1938) ; **Howark Hawks** (La patrouille de l'aube, **remarquable film sur l'aviation**, 1930) ; William K. **Howard** (Thomas Gardner, avec Spencer Tracy, 1933 — un des films où le « retour en arrière » a été le plus intelligemment utilisé) ; Frank **Lloyd** (Berkeley Square et Les révoltés du « Bounty », **une des plus tumul-tueuses aventures que la mer ait inspirées,** 1935) ; John M. **Stahl** (Back Street, simple histoire d'une femme seule — Irene Dunne — dans le cadre de l'époque 1900, un des succès devenus légendaires du cinéma américain, 1932) ; W. S. **Van Dyke** (Ombres blanches, **1928**

La révolution pitto-resque : Wallace Beery (Pancho Villa) et Stuart Erwin (le journaliste américain) dans **Viva Villa!** de Jack Conway (1934, à gauche).

Seule et triste : Irene Dunne dans **Back Street** de J. M. Stahl (1932, à droite).

« Bibliothèque rose » : Jean Parker, Joan Bennett, Katharine Hepburn et Frances Dee, **Les quatre filles du Dr. March** de George Cukor (1933, en bas à droite).

Page suivante : Leslie Howard avec Norma Shearer, **Roméo et Juliette** (1936) pour Cukor.

P. 71 : Laurence Olivier et Merle Oberon dans **Les Hauts de Hurlevent** (1939), adap-tation du roman d'Emily Brontë par William Wyler.

— autre succès légendaire et révélation de la photogénie de l'exotisme, qui eut sa réplique dans Chanson païenne; Bolero, avec Carole Lombard et George Raft, où il fit de l'œuvre célèbre de Maurice Ravel une vedette de l'écran). Enfin, La mégère apprivoisée, d'après Shakespeare, fut le seul film réalisé par Douglas Fairbanks, où il eut pour partenaire sa femme Mary Pickford.

Parmi ceux qui sont venus au cinéma à peu près dans le temps où il sortait du silence, voici George Cukor (Dîner à huit heures, avec Jean Harlow, 1932; Little Women, ou Les quatre filles du Dr. March, avec Katharine Hepburn, d'après le roman très « Bibliothèque rose » de Louise Alcott, 1932, David Copperfield, 1935; Roméo et Juliette, avec Norma Shearer — tous films brillants qui marquent les débuts d'une éblouissante carrière); Leo Mac Carey (L'admirable Mr. Ruggles, avec Charles Laughton qui y trouva un de ses bons rôles, 1935; Elle et lui — Irene Dunne et Charles Boyer — une des meilleures comédies américaines); William Wyler (Jezabel ou L'insoumise, 1938 — Bette Davis y fut bouleversante de sincérité et d'âpreté; Les hauts de Hurlevent, avec Merle Oberon et Laurence Olivier, 1939 — entreprise redoutable et réussie, les admirateurs les plus ardents d'Emily Brontë reconnaissant qu'ils avaient retrouvé sur l'écran les personnages qu'ils aimaient). Au milieu de tous ces hommes, une femme, Dorothy Arzner, qui porta à l'écran de façon intéressante le roman de Zola Nana, avec l'émigrée russe Anna Sten (1933).

Dès le temps du muet, Walt Disney avait, d'un crayon spirituel, lancé sur les écrans sa petite souris Mortimer, devenue rapidement populaire sous le nom de Mickey Mouse. Mais seulement lorsque le cinéma fut devenu sonore et parlant, sa fantaisie put s'épanouir à son aise, ce qui n'est pas sans constituer un assez étonnant paradoxe. En cherchant la parole, le cinéma y avait vu un moyen de préciser le réalisme qui était sa seule règle. A cette règle, Walt Disney se dérobait délibérément. Il allait cependant user des nouveaux moyens techniques pour élargir sa fantaisie, notamment en demandant à la musique de fournir aux gestes de ses personnages un rythme qui n'était pas exactement celui de la vie. En même temps, il substituait la couleur au noir et blanc de ses dessins; mais ici encore, il se gardait de sombrer dans le réalisme : les couleurs dont il parait ses personnages, et surtout les paysages,

Walt Disney

Walt Disney (à gauche) s'apprête à régner sur le dessin animé en créant ses personnages qui deviendront universellement célèbres : Mickey Mouse (à droite), les trois petits cochons et le grand méchant loup (ci-dessous).

n'étaient pas tout à fait celles de la réalité. C'était donc quelque chose de complètement nouveau qu'il offrait à ses spectateurs avec les Silly Symphonies (1929). Sans nuire pour autant à l'amusant personnage de Mickey, dont les aventures se développèrent au milieu d'une véritable ménagerie : Donald le canard, Pluto le bon chien... Et ce furent Les trois petits cochons, qui connurent une immense popularité; Mickey à l'Opéra, Le gala de Mickey; où il mêlait à ses animaux familiers des silhouettes caricaturales de vedettes hollywoodiennes; Fanfare, où Mickey chef d'orchestre dirigeait un concert au milieu d'un orage qui s'apaisait quand, sur un geste du maestro, les musiciens cessaient de jouer; et enfin Blanche-Neige et les sept nains, fruit de trois ans de travail (1934-1936), dont le prix de revient dépassa un million de dollars. Ce fut le point final de la production de Walt Disney avant la guerre.

Disney était maintenant entouré de plus de 500 collaborateurs travaillant à la chaîne dans une immense usine. On était loin du minuscule atelier où, seul comme un bénédictin en sa

Du crayon de Max Fleischer naissent deux personnages inimitables : Popeye ou Mathurin, le matelot dévoreur d'épinards (ci-dessus), et Betty Boop, la chanteuse souvent en butte à la censure.

En 1937, Walt Disney fit son premier long métrage : **Blanche-Neige et les sept nains.**

cellule, Émile Cohl avait animé d'un malgre trait ses premiers fantoches.

Dès le temps du muet, plusieurs autres dessinateurs avaient exercé leur talent en ce domaine. Le plus heureux fut Max Fleischer, père de deux personnages rapidement populaires : le marin Popeye, pittoresque mangeur d'épinards, plus connu en France sous le nom de Mathurin, et Betty Boop, la « vamp » du dessin animé, chanteuse potelée débitant d'une petite voix flûtée les choses les plus propres à hérisser les susceptibilités des ligues de moralité, avec lesquelles son créateur eut souvent des difficultés. Le dessin animé doit encore à Max Fleischer deux longs métrages : Les voyages de Gulliver, d'après l'œuvre de Swift, et Douce et Criquet s'aimaient d'amour tendre. Ils sont dignes de figurer auprès des meilleurs Walt Disney.

De tous temps, Hollywood avait attiré de nombreux cinéastes européens de toutes les spécialités [1]. Beaucoup y avaient brillamment réussi et, faisant oublier leur origine, étaient devenus d'authentiques représentants du cinéma américain. Ce mouvement ne fit que se développer lorsque les films se mirent à parler. Certaines qu'elles ne pourraient imposer à leur clientèle étrangère des films parlant « américain » et ne voulant pas perdre cette clientèle, les grandes compagnies entreprirent la production de versions en toutes langues de leurs grands films [2]. Pour mener cette production à bien, il leur fallait des dialoguistes, des réalisateurs, des acteurs dont la langue maternelle fût celle dans laquelle ils auraient à travailler, pour la renommée et le bénéfice des movies. Il ne s'agissait plus, comme lors de l'engagement d'un Sjöström, d'un Lubitsch, d'un Jannings, d'un Mosjoukine, d'amputer un concurrent dangereux d'un de ses meilleurs éléments. Il s'agissait de survivre. Toute l'Europe défila à Hollywood.

Nous n'entreprendrons pas de citer tous les acteurs qui s'en allèrent sur les rives du Pacifique : ils sont trop nombreux. Quelques-uns en tirèrent profit : Maurice Chevalier y conquit ses galons de vedette internationale, Charles Boyer s'intégra plus profondément dans le personnel des studios américains que dans celui des studios français, André Luguet fut le partenaire de Grace Moore dans Jenny Lind, Fernand Gravey la vedette du film de Julien Duvivier The Great Walz (Toute la ville danse), Huguette Duflos vit Le procès de Mary Dugan la confirmer dans sa situation de vedette internationale.

En même temps que des acteurs, les grandes sociétés avaient fait venir des auteurs pour donner aux versions françaises de leurs films les dialogues dont elles ne pouvaient pas se passer. C'étaient Jacques Deval, Roger Ferdinand, Léopold Marchand, Marcel Achard, Yves Mirande, Yvan Noé.

Quant aux metteurs en scène étrangers, ils étaient déjà sur place. A commencer par Jacques Feyder qui, arrivé en 1929, avait

---

[1] Cf. vol. 1.
[2] Une d'elles, la Paramount, créa même une succursale en France pour mener à bien cette production en langues étrangères. Elle installa d'immenses studios à Joinville-Saint-Maurice, près de Paris. Nous la retrouverons plus loin. (Cf. p. 91.)

immédiatement dirigé Greta Garbo dans Le baiser, dont il a dit qu'il fut « à Hollywood le dernier film muet ». Puis il avait réalisé les versions allemande et suédoise d'Anna Christie de Clarence Brown, dont Greta Garbo était aussi la vedette, et enfin, il s'était vu confier la version française d'un film tiré d'une comédie de Molnár, Olympia, qui devint, sur un scénario et des dialogues d'Yves Mirande : Si l'empereur savait ça!. Version à laquelle il sut donner la valeur d'un film original grâce, pour une bonne part, à la qualité de l'interprétation, en tête de laquelle Françoise Rosay s'imposait avec autorité (1930). Après quoi Feyder dirigea deux films américains dont l'un fut doublé en français par Claude Autant-Lara[1]. Puis il quitta Hollywood, disant « n'y avoir pas tourné de film vraiment intéressant mais y avoir appris beaucoup de choses », des choses dont il allait en France faire bon usage.

Victor Sjöström se trouvait lui aussi en Amérique lorsque le cinéma se mit à parler. Sous le nom de Victor Seastrom, il y avait fait sept films muets[2]. Plus heureux que Feyder, il ne fut pas mis au régime déprimant des versions. Il fit un film parlant original : A Lady to love (Une femme à aimer) dont les vedettes furent Vilma Banky et Edward G. Robinson (1930). Il désira alors retourner dans son pays. La Metro Goldwyn ne le retint pas.

Greta Garbo et Marlene Dietrich

A la naissance du parlant, Greta Garbo était sous contrat avec la Metro Goldwyn pour une durée de cinq ans. Ses appointements étaient de 5 000 dollars par semaine et devaient atteindre 6 000 dollars la cinquième année. En même temps, elle mettait au point le personnage qui lui avait valu le surnom de « sphinx suédois », prenant le contre-pied des mœurs locales, s'enveloppant de mystère, refusant de livrer si peu que ce soit de sa vie privée. Ce comportement lui réussit. Elle franchit sans effort apparent le cap du parlant, sur lequel tant d'autres vedettes ont fait naufrage. Sous la direction de Clarence Brown, qui avait déjà dirigé deux de ses films muets, elle fit entendre sa voix pour la première fois

---

[1] Claude Autant-Lara dirigea encore à Hollywood les versions françaises de plusieurs films de Buster Keaton dont **Buster le marin** (1930) et **L'athlète incomplet**.
[2] Cf. vol. 1.

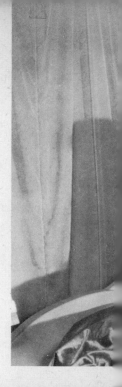

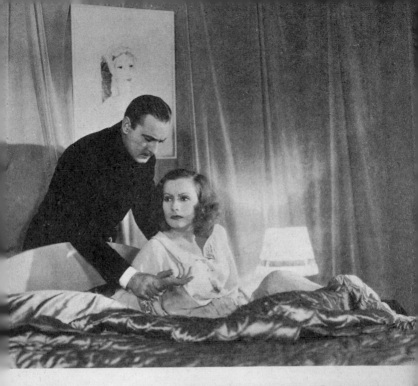

Avec le parlant, Greta Garbo commence une seconde carrière. En haut à gauche : **Anna Christie** (1930); à gauche : avec John Gilbert dans **Anna Karénine** (1935), de C. Brown.

intrigues et « all stars cast » : **Grand Hôtel** (1932) d'Edmund Goulding. Ci-dessus, Greta Garbo et John Barrymore; A droite, Joan Crawford et W. Beery.

dans un film tiré d'une pièce d'Eugène O'Neill :
Anna Christie. La présentation au Capitole
de New York lui valut des louanges unanimes.
L'un vanta sa voix, « contralto profond, guttural,
qui possède au plus haut point ce charme
prodigieux, ce grondement voilé qui vous
hante », un autre déclara catégoriquement :
« Son intelligence et sa grâce s'étaient déjà
révélées dans tous ses films muets, du Torrent
au Baiser. Son immense talent éclate pour
la première fois dans Anna Christie [1]. »
La collaboration de Garbo avec Clarence
Brown se poursuit dans quatre autres films :
Inspiration, d'après Sapho d'Alphonse Daudet
(1931), Marie Walewska, Romance et Anna
Karénine, d'après Tolstoï (1935). Ses deux
films avec George Fitzmaurice sont moins
heureux : Mata-Hari et Comme tu me veux,

d'après Pirandello, où elle a pour partenaire Erich von Stroheim (1932). Puis viennent La reine Christine de Rouben Mamoulian (1933) et Grand Hôtel d'Edmund Goulding, où elle fait partie d'une distribution all stars réunissant Joan Crawford, J. et L. Barrymore, Wallace Beery et Lewis Stone. Mais tout cela s'efface devant Le roman de Marguerite Gautier (La dame aux camélias, 1937). Sous la direction de George Cukor, elle y « défie la comparaison — comme l'écrivit le New York Herald Tribune — avec les plus grandes actrices. Son personnage, conçu avec sensibilité, est d'un pathétique bouleversant et révèle l'actrice la plus accomplie de notre temps. » Ayant ainsi ému les foules à travers les personnages les plus divers, elle entreprit de les faire sourire, comme elle en nourrissait depuis longtemps le secret désir, et ce fut, sous la direction d'Ernst Lubitsch, Ninotchka (1939), satire du communisme imaginée par Melchior Lengyel. Greta Garbo y fut charmante de légèreté et d'esprit; un critique new-yorkais ne craignit pas de dire : « La première dame de la tragédie joue ce rôle de comédie pure avec l'assurance d'un Buster Keaton [1]. » Son film suivant, Une femme aux deux visages (1941), bien qu'il appartienne à l'époque de la guerre, peut être cité ici car il n'ajoute rien à ce qui a fait de Greta Garbo un être unique dans l'histoire du cinéma. Unique par la richesse de son talent, par l'art

---

[1] Cité par John Bainbridge : **Greta Garbo.** Paris, Julliard, 1956.

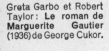

Greta Garbo et Robert Taylor : **Le roman de Marguerite Gautier** (1936) de George Cukor.

Greta Garbo et Melvyn Douglas : **Ninotchka** (1939) d'Ernst Lubitsch.

avec lequel elle a su imposer sa personnalité et se parer d'un prestige universel qui, plus d'un quart de siècle écoulé, reste irrésistible. La preuve en est qu'en 1955, Greta Garbo a obtenu un Oscar, exactement comme si elle avait été la vedette d'un film de l'année.

Marlene Dietrich est, elle aussi, une personnalité hors mesure. Elle l'avait prouvé en Allemagne dès son apparition dans L'ange bleu [1]. Elle le prouva encore mieux en imposant, dès son arrivée à Hollywood, le personnage qui avait été le sien à Berlin : celui d'une femme fatale d'un genre nouveau, n'ayant rien de commun avec celui qui avait régné sur les écrans depuis Theda Bara et Nita Naldi. Elle le prouva surtout en donnant à la carrière et à l'œuvre de Josef von Sternberg un caractère tout différent de ce qui avait été le·leur dans les années 27-29. A peine fut-il de retour dans les studios qui avaient vu naître Les nuits de Chicago et Les docks de New York, qu'il n'y en eut plus que pour Marlene. A Morocco, d'après un roman de Benno Vigny, Amy Jolly, succèdent cinq autres films qui sont ce qu'ils sont tout simplement parce que Marlene Dietrich en tient le rôle principal. Parmi ces films, une adaptation de La femme et le pantin de Pierre Louÿs, sous le titre

[1] Cf. p. 148.

Marlene Dietrich, révélée par Sternberg à la naissance même du parlant, s'impose dans plusieurs de ses films. A droite : avec Gary Cooper dans **Morocco** (Cœurs brûlés, 1930).

The Devil is a Woman, **et une** Impératrice rouge qui n'est autre que Catherine II, ce qui est assez inattendu. En 1935, l'association se rompt. On ne reverra plus le nom de Josef von Sternberg accolé à celui de Marlene Dietrich. Il tirera un film du célèbre roman de Dostoïevski Crime et châtiment : Remords, où Peter Lorre sera un Raskolnikov inquiétant; ensuite, il dirigera Grace Moore dans une comédie musicale : Sa Majesté est de sortie (1936). Après quoi ce seront, à intervalles de plus en plus éloignés, des films à propos desquels on parlera de déclin, ce qui sera sévère sans être immérité. Quant à elle, après un Cantique d'amour de Rouben Mamoulian plutôt décevant (1933) et un Jardin d'Allah de Richard Boleslawski, elle fournit à Ernst Lubitsch l'occasion de produire un de ses meilleurs films : Ange (1937). Plus de cuisses à l'air ni de bas de soie noire, plus de regards chavirés ni de couplets fredonnés d'une voix rauque; tout simplement une femme, coquette certes, mais dont le pouvoir de séduction tient plus à son charme naturel qu'aux artifices d'un sex-appeal plus ou moins frelaté. On ne la retrouvera telle que dans le film de René Clair The Flame of New Orleans (La belle ensorceleuse) [1]. A la veille de la guerre, Marlene Dietrich jouit auprès des foules d'un prestige presque égal à celui de Greta Garbo. Si nul ne pense à l'appeler « la Divine », c'est par sa féminité qu'elle règne sur les écrans et sur les esprits. Ce prestige, elle l'entretiendra avec un soin jaloux.

[1] Cf. p. 284.

Marlene Dietrich dans **La femme et le pantin** de Sternberg (ci-contre) et dans **Le jardin d'Allah** de Boleslawski.

RIP-101-143

stars

Bette Davis, grande artiste dont la personnalité
est faite autant de volonté que de talent, peut
tout faire, surtout lorsqu'il y a des difficultés
à vaincre et des situations délicates à imposer.
L'opinion a été unanime pour voir en elle,
dès ses débuts, la comédienne numéro un
de Hollywood. Le prix de la meilleure actrice
qu'elle a reçu en 1935 pour L'intruse et en
1938 pour Jezabel n'a sans doute pas autant

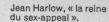
Jean Harlow, « la reine du sex-appeal ».

d'importance que cette unanimité. Comme Bette Davis, Katharine Hepburn peut tout jouer; on s'en apercevra de mieux en mieux à mesure qu'elle prendra de l'âge; mais c'est surtout par la légèreté et la fantaisie (L'impossible M. Bébé) qu'elle s'est recommandée dans la première partie de sa carrière. Le talent de Kay Francis n'a ni l'originalité ni la souplesse de celui de Katharine Hepburn mais dans Voyage sans retour, elle a été grande comédienne, sensible et émouvante. Excellentes comédiennes aussi, Irene Dunne qui sait émouvoir (Back Street) et faire sourire (Théodora devient folle), Barbara Stanwyck qui, dans Stella Dallas, composa une très attachante figure de femme, de même que Miriam Hopkins dans Becky Sharp. Myrna Loy et Claudette Colbert furent deux interprètes-types de la comédie américaine. Jean Arthur fut préférée à toute autre par Frank Capra (L'extravagant Mr. Deeds, Mr. Smith au Sénat). Il faut encore citer : Olivia de Haviland; Joan Fontaine; les sœurs Bennett, Joan qui, après avoir été une des charmantes Filles du Dr. March, commença une seconde carrière dans le drame, et Constance dont Le couple invisible et Madame et son clochard affirmèrent la distinction et la désinvolture; Carole Lombard (My Man Godfrey, Boléro) trop tôt disparue dans un accident d'avion; Norma Shearer, dont la carrière atteignit son apogée avec

Shirley Temple, la petite fille modèle de Hollywood.

Edward G. Robinson,
un grand acteur de
composition venu des
films de gangsters.

Marie-Antoinette. **Plus prestigieuse encore,
voici Joan Crawford** (Le tourbillon de la danse,
Grand Hôtel, Femmes), qui mena l'évolution
de sa personnalité et de son talent de telle
façon qu'elle trouva dans sa maturité ses
meilleurs succès (La fin de Mrs. Cheyney,
Mildred Pierce). **Enfin Jean Harlow,** succédant
à Clara Bow comme « reine du sex-appeal »,
fut quelques années durant la star-type selon
la formule hollywoodienne, son plus grand
succès étant Platinum Blonde de **Frank Capra;**
préfiguration de Marilyn Monroe, elle mourut
à vingt-six ans. A côté de ces femmes charmantes, deux fillettes non moins charmantes :
Shirley Temple, qui incarnait au naturel ces
gentilles et insupportables gamines auxquelles
le cœur des foules ne sait pas résister (La
mascotte du régiment de **John Ford,** Le petit
colonel) et **Deanna Durbin** qui, dès sa
quatorzième année, fut une aimable comédienne douée d'une petite voix claire de
soprano léger. Promue vedette dès son premier
film, Trois jeunes filles à la page (1936), elle
le resta sans défaillance pendant douze ans.

En tête de la troupe masculine, c'est le nom de Barrymore qu'il faut placer, avec deux prénoms : John, qui reste comme au temps du muet le grand premier rôle de l'écran américain (Le grand avocat, Grand Hôtel, Marie-Antoinette) — il mourut en 1942 — et Lionel qui fit ses créations les plus importantes (Vous ne l'emporterez pas avec vous, L'île au trésor, L'étrange sursis) à partir de 1930. Gary Cooper fut cow-boy, aviateur, soldat (Morocco), Cary Grant partenaire de Marlene Dietrich (Blonde Vénus), Clark Gable donna la réplique à Claudette Colbert (New York-Miami), à Greta Garbo (Courtisane), à Norma Shearer, Jean Harlow, Carole Lombard et finalement à Vivien Leigh dans Autant en emporte le vent (1939), car il savait aussi bien être émouvant que souriant. A côté d'eux, il faut placer un Français : Charles Boyer, que ses succès (Back Street, Elle et lui) amenèrent à se faire naturaliser américain.

En opposition avec ces acteurs de caractère classique, les films de gangsters ont fourni des acteurs d'un talent original — Wallace Beery (Big House), Edward G. Robinson (Toute la ville en parle), Spencer Tracy, Paul Muni — qui s'évadèrent du genre « gangster » et

Gary Cooper, homme d'action et séducteur.

furent de remarquables acteurs de composition. William Powell posséda la plus agréable fantaisie. Quant aux comiques, nous avons déjà dit ce qu'il y a à en dire [1].

Le chanteur de jazz, premier film chantant américain, avait commencé sa carrière parisienne à l'Aubert-Palace le 30 janvier 1929. Il avait mis quinze mois à franchir l'Atlantique. Trois mois plus tôt, sur l'écran du Caméo, avait été projeté un film de collaboration franco-allemande dont Marcel Vandal et André Berthomieu avaient assumé la responsabilité : L'eau du Nil comportait un accompagnement musical agrémenté de quelques bruits. C'avait été une déception. Le chanteur de jazz avait mis les choses au point; dans les comptes rendus de la présentation, c'est de « bataille définitivement gagnée pour le film parlant » qu'il est question, et de « l'engouement légitime du public pour le nouveau genre de production ». André Hugon, le premier, courut le risque de faire un film sonore mais, comme aucun studio français n'était équipé, il alla travailler en Angleterre. Il en rapporta Les trois masques, adaptation d'une pièce très dramatique de Charles Méré où, ne négligeant rien de ce qui pouvait donner la plus haute idée des possibilités des nouveaux procédés techniques, il avait composé une sorte d'échantillonnage des bruits de la nature. De quoi décourager les meilleures volontés. Ceux qui prétendaient que « cinéma parlant » et « cinéma » étaient incompatibles allaient-ils avoir raison ? René Clair, avec une douce perfidie, avait insinué : « Ce n'est pas l'invention du parlant qui nous effraie. C'est la déplorable utilisation que ne manqueront pas d'en faire nos industriels [2]. » Jean Bernard-Derosne, dans Cinémagazine, déclarait : « Il fallait que Les trois masques fussent faits pour qu'on ne les refît pas. » On ne les refit pas. Gaston Ravel qui, en collaboration avec Tony Lekain, venait de terminer Le collier de la reine d'après Alexandre Dumas, se contenta prudemment d'enregistrer un accompagnement musical et le dialogue de quelques scènes dont on se demandait pourquoi leurs personnages muets jusqu'alors se mettaient soudain à parler. Expériences qui auraient pu être mortelles et qui ne le furent pas. Le cinéma français eut ses deux premiers films vraiment parlants avec La maison de la flèche et Le mystère de la villa Rose, tournés à Londres,

France : premiers efforts, premières réussites

[1] Cf. p. 27.

[2] René Clair (mai 1929). Rappelé dans **Réflexion faite**. Paris, Gallimard, 1961.

le premier par Henri Fescourt, le second par Mercanton et Hervil (tous deux avec Léon Mathot). La route est belle, réalisé par Robert Florey, prouva la supériorité du film chantant sur le film parlant. Celui-ci s'imposa définitivement avec La nuit est à nous d'après une pièce d'Henry Kistemaeckers, production germano-française réalisée à Berlin en deux versions. La version française est supérieure à la version allemande de Carl Frœlich, grâce à Henry-Roussell qui réussit à utiliser les nouveaux procédés techniques de manière à en tirer des effets dramatiques sans nuire à l'expression spécifiquement cinématographique. Pour la première fois, le cinéma français offrait à son public un film parlant ayant une personnalité. La nuit est à nous, dont Marie Bell tenait le rôle principal, encadrée par Henry-Roussell et Jean Murat, connut un légitime succès au cinéma Marivaux d'autant plus que, dans le même programme, figurait un film de Walter Ruttmann : Mélodie du monde, dont les images ne prenaient tout leur sens et toute leur valeur que par leur accompagnement musical et sonore. Cette fois, on était en présence d'une œuvre qui ouvrait les yeux aux plus incrédules : le cinéma parlant n'enterrait pas le cinéma; il lui donnait une vie nouvelle, il le sortait de l'impasse où, en face de La Passion de Jeanne d'Arc, on le sentait enlisé.

Hollywood à Joinville

Dans le même temps, la société américaine Paramount s'était installée aux portes de Paris, dans d'anciens studios Pathé. Elle y avait entrepris, sous la direction de Robert T. Kane, la production intensive de films destinés à la clientèle européenne et particulièrement française : c'était « Babel-sur-Seine ». Le premier grand film qui fut réalisé là fut Un trou dans le mur de René Barberis (Marguerite Moreno y commença une carrière cinématographique brillante). Puis vinrent Mam'zelle Nitouche de Marc Allégret, Le cordon bleu où paraissait pour la première fois, sous le pseudonyme de Cora Lynn, celle qui allait se rendre célèbre sous le nom d'Edwige Feuillère, La lettre de Louis Mercanton, Mon gosse de père de Louis Gasnier, Le secret du docteur de Charles de Rochefort. Et combien d'autres...

Marcel Pagnol et le théâtre filmé

Marcel Pagnol était déjà l'auteur célèbre de Topaze et de Marius, que le Théâtre de Paris jouait depuis mars 1929. Étant allé à Londres, et y ayant assisté à une représentation du

Palladium, il avait découvert le cinéma parlant. Il était revenu à Paris, persuadé que « cette mécanique serait un outil parfait qu'emprunterait l'art dramatique et que bientôt le vieux théâtre, d'ores et déjà condamné, ne servirait guère plus qu'à former des acteurs au service de cet art nouveau [1]. » Les choses étant telles, « un film ne saurait être que l'enregistrement d'une pièce de théâtre, l'affaire capitale, essentielle, étant la pièce, le dialogue ». Ces idées prirent forme dans le film que la Paramount joinvillaise tira de Marius en 1931 par les soins d'Alexander Korda [2]. Confier à un Hongrois l'enregistrement du dialogue marseillais que Raimu et ses camarades avaient, des mois durant, débité sur la scène du Théâtre de Paris était une initiative à la fois paradoxale et pleine d'humour. Le succès n'en fut pas compromis et, quelques mois plus tard, la Paramount entreprit de filmer Fanny. Cette fois, le travail fut confié à Marc Allégret. Ce fut un nouveau succès qui confirma Marcel Pagnol dans ses théories. Poursuivant son évolution selon la plus rigoureuse logique, Pagnol portera à l'écran César, sans plus de Korda ni d'Allégret, mais tout seul, à la fois auteur, réalisateur, producteur. En 1933, il confiera aux Cahiers du film les conclusions qu'il avait tirées de sa triple expérience : « Le film muet était l'art d'impressionner, de fixer et de diffuser la pantomime. Le film parlant est l'art d'imprimer, de fixer et de diffuser le théâtre. Tout film parlant que l'on peut projeter en muet et qui reste compréhensible est un très mauvais film parlant. » Marcel Pagnol avait gardé, pour faire vivre ses personnages sur l'écran, les acteurs qui les avaient animés devant la rampe : Raimu, Pierre Fresnay, Orane Demazis, Charpin. Ce fut là pour les deux premiers le commencement d'une carrière qui allait faire d'eux des chefs de file parmi les vedettes masculines du cinéma français.

Avec la trilogie que forment Marius, Fanny, César, ce qu'on a fort pittoresquement appelé « théâtre de conserve » était né. De ce genre de production, un autre remarquable échantillon est la comédie de Marcel Achard Jean de la Lune, filmée par Jean Choux et interprétée

Théâtre filmé : Charpin, Léon Bernard et Debucourt dans Le gendre de Monsieur Poirier (1934) de Marcel Pagnol, d'après Augier.

---

[1] Jérôme Tharaud : Discours de réception de Marcel Pagnol à l'Académie française (27 mars 1947).
[2] Alexander Korda était passé en 1927 au service du cinéma américain (cf. vol. 1) et, avant d'aller rénover le cinéma anglais (cf. p. 174), il faisait un stage sous l'égide de la Paramount dans le cinéma français.

Pages précédentes : la fameuse scène de la belote dans Marius.

par Michel Simon, René Lefèvre, Madeleine
Renaud. Une scène en est restée célèbre :
celle où, dans le wagon qui l'emporte,
Madeleine Renaud déroule sur le rythme de la
course du train son monologue intérieur :
« Jean de la... Lune Jean... de la Lu... ne Jean
de... »

Continuant sur sa lancée, Marcel Pagnol
sacrifia quelque temps encore au « théâtre
de conserve » : Le gendre de Monsieur Poirier
d'Émile Augier, Léopold le bien-aimé de Jean
Sarment... Puis, un jour, touché par la grâce
du tout-puissant cinéma et par le charme
non moins puissant de sa Provence natale,
il mit celui-là au service de celle-ci. Conversion
inattendue, qui amena l'éclosion de ces films
sans ascendants ni descendants : Jofroi
(promu vedette, le compositeur Vincent Scotto,
ami de l'auteur, fut regardé par la critique

américaine comme un grand acteur), Angèle (d'après le roman de Jean Giono Un de Beaumugnes, 1934), Regain, La femme du boulanger (1938). Avec ces films c'était un grand souffle d'air frais et parfumé qui passait sur les écrans. C'était aussi Raimu qui s'affirmait plus grand acteur que jamais, Fernandel qui s'élevait au même plan que Raimu et Ginette Leclerc que l'on découvrait. Tournant une fois de plus le dos au « théâtre filmé », Pagnol venait de commencer La fille du puisatier quand la guerre éclata. Interrompu, le travail reprit en 1942. Pour tout ce qu'ils offraient de nouveau : paysages, types, mœurs, acteurs, tous ces films connurent un grand succès, même à l'étranger.

Les anciens du cinéma, les meilleurs, ceux qui l'avaient élevé à la dignité d'art, qui avaient assuré sa grandeur, étaient les plus décontenancés devant les nouveaux procédés. Abel Gance, qui avait les yeux fixés sur l'avenir, fut le premier à se reprendre. Il venait de terminer un scénario : La fin du monde, plein d'idées généreuses. Il y montrait un congrès international de savants, réunis pour étudier la course d'une comète, s'unissant devant le danger que cette comète représentait pour

les vétérans : Gance, L'Herbier, Epstein

Pagnol et Raimu discutent une scène de **La femme du boulanger** (1938) en présence de Charles Moulin.

Fernandel, trop souvent vedette de farces commerciales, trouva dans les films de Pagnol des rôles à la mesure de son talent.

Pages suivantes : **La fin du monde** (1931), premier film sonore tourné par Abel Gance.

la **Terre** et constituant une **Fédération des Peuples**, décidés à vivre leurs dernières heures et à mourir sous le signe de la paix et de la fraternité universelles. Conçu pour un film muet, ce scénario fut enrichi — alourdi — par son auteur de tirades humanitaires dont il n'y avait cinématographiquement rien à attendre de bon; mais, lorsqu'il s'agit d'utiliser les bruits et les sons, Abel Gance se retrouva le précurseur audacieux, lucide et ingénieux qu'il avait toujours été; il se livra à des déformations et à des truquages dont on ne retrouvera l'équivalent que dans Le tempestaire de Jean Epstein (1947). Ce fut un échec, honorable certes, mais à la suite duquel Abel Gance dut se mettre au régime des films commerciaux, parmi lesquels il faut pourtant signaler une Dame aux camélias pour l'interprétation que donnèrent du célèbre couple romantique Yvonne Printemps et Pierre Fresnay (1934). Sans oublier qu'au lendemain de ce film, il sonorisa son Napoléon, qu'il enrichit de ce qu'il a appelé « la perspective sonore ». Enfin, en 1936, il put reprendre un

peu de liberté et redevenir lui-même grâce à
Un grand amour de Beethoven, avec Harry Baur
et Annie Ducaux. L'œuvre du grand musicien,
utilisée avec respect et intelligence, fournit
à l'auteur de La Xe symphonie l'occasion de
déployer tout son lyrisme visuel. Puis il refit
en parlant J'accuse!, avec Victor Francen et
Line Noro, comme en 1932 il avait refait Mater
Dolorosa. Revenant à la musique, il porta
à l'écran le populaire drame lyrique de Gustave
Charpentier Louise, dont l'héroïne emprunta
la voix de Grace Moore (1938) et mit le point
final à son œuvre d'avant-guerre par une
comédie d'une optimiste sentimentalité, Le
paradis perdu, qui attira l'attention sur une
débutante nommée Micheline Presle, bien
mise en valeur par ses deux partenaires,
Fernand Gravey et Elvire Popesco.
Tout comme Abel Gance, Marcel L'Herbier

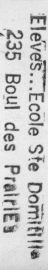

fut condamné par l'incertitude de l'époque à des besognes auxquelles rien dans son passé (si ce n'est Le bercail qu'en 1920 il avait refusé de signer) ne semblait le destiner : Le bonheur d'après Henry Bernstein, avec Gaby Morlay (1934); L'enfant de l'amour et Le scandale d'Henri Bataille; L'aventurier d'Alfred Capus, où débuta Jean Marais; des drames plus ou moins cornéliens où Victor Francen souffrait sur le pont d'un cuirassé à l'ombre du drapeau tricolore (Veille d'armes); des films policiers signés Gaston Leroux, dont Huguette Duflos fut la vedette; et même un remake du célèbre Forfaiture de Cecil B. de Mille. Que le jeune cinéma parlant n'ait pas mieux su utiliser le talent de Marcel L'Herbier, combien l'ont regretté et s'en sont indignés ceux qui avaient vécu l'ardente période 1920-1925! Mais à côté de ces Porte du large et de ces Mystère de la chambre jaune dont Marcel L'Herbier a dit que les années qu'il leur avait consacrées avaient été pour lui des « années d'exil », il y a heureusement, pour la seule année 1938, Adrienne Lecouvreur, évocation somptueuse de la vie théâtrale au XVIIIe siècle, à laquelle la voix d'Yvonne Printemps donnait un prix tout particulier, et Entente cordiale, œuvre de circonstance dont André Maurois, spécialiste des questions anglaises, avait composé le scénario — rappel des souvenirs de l'amitié franco-anglaise au cours du XIXe siècle. Gaby Morlay y présentait une étonnante figure de la reine Victoria, entre Victor Francen (Edouard VII) et Jacques Baumer (Clemenceau). Enfin, à la veille de la guerre, Marcel L'Herbier portait à l'écran La comédie du bonheur d'Evreïnoff, mais il avait dû pour cela aller travailler dans un studio italien.

Jean Epstein ne fut pas plus heureux. C'est tout juste si, de 1930 à 1939, parmi vingt films on en trouve trois ou quatre en tête desquels on ne soit pas étonné de voir son nom : Mor Vran (1930), L'or des mers (1932) où il élargit la voie qu'il s'était ouverte avec Finis Terrae, La femme du bout du monde (1937) où il recrée la vie avec rien, ou presque rien, et compose des images fortes et émouvantes qui annoncent Le tempestaire, couronnement de son œuvre. Pour le reste, des besognes alimentaires : petits documentaires produits sur commande pour des expositions, remake de films faits par d'autres (L'homme à l'Hispano, La châtelaine du Liban) et même chansons filmées

Gaby Morlay (la reine Victoria) et Victor Francen (Edouard VII) dans Entente cordiale (1939) de Marcel L'Herbier.

(Le cor, Le vieux chaland, etc.) Est-il besoin d'en dire plus pour le justifier d'avoir écrit, entre deux chansons filmées : « Le cinématographe sonore, tel qu'on le pratique actuellement, néglige quinze ans de progrès vers l'indépendance du cinématographe général dont il fait partie. Il a oublié jusqu'à son essence qui est la recréation du mouvement. Il revit avec une fatuité juvénile toutes les erreurs dont le muet s'est repenti »?

Ces erreurs, René Clair s'efforça de ne pas les commettre quand, le 2 janvier 1930, il s'attaqua à son premier film non muet : Sous les toits de Paris. Il avait longuement réfléchi avant de se mettre au travail. De ses réflexions, il faut particulièrement retenir ceci : « Au cinéma, le premier moyen d'expression est l'image, et la partie parlante et sonore ne doit pas être prépondérante. On pourrait presque dire qu'un aveugle devant une véritable œuvre dramatique, un sourd devant un véritable film n'en doivent pas perdre l'essentiel. » Sous les toits de Paris, simple histoire d'une idylle dans un quartier populaire, est donc une ingénieuse utilisation des ressources du

René Clair

son indépendamment de l'image, et réciproquement, pour l'obtention d'effets dramatiques impossibles au théâtre. C'est ainsi que, deux amoureux se querellant, on entendait seulement les répliques qu'échangeaient les deux personnages invisibles; en revanche, une autre scène, qui se déroulait dans la rue, était vue à travers les vitres d'un café : on ne perdait aucun geste mais on n'entendait rien; enfin, une rixe avait lieu à proximité d'un passage à niveau, et le bruit en était couvert par le fracas du passage d'un train. La chanson (musique de Raoul Moretti, paroles de René Nazelles) qu'Albert Préjean y chantait à quelque carrefour ne fut pas étrangère au succès du film. Ayant constaté combien lui avait été efficace le concours de la musique, René Clair lui donna une place plus importante dans Le million **(1931)**, dont on a dit qu'il était un ballet et qui est une comédie musicale, la seule qui soit née en France à cette époque où le genre florissait dans les studios allemands et autrichiens. La même année, les voiles gonflées par le vent du succès, René Clair donna un second film : A nous la liberté! On y trouve des intentions sociales — les

Se méfiant du parlant, René Clair commença par accorder plus d'importance à la musique qu'au dialogue. Albert Préjean chanteur des rues dans **Sous les toits de Paris** (1930). — Annabella danseuse dans **Le million** (1931).

A nous la liberté (1931) de René Clair : intentions sociales soulignées par le décor de Meerson (pages précédentes), verve d'Henri Marchand et de Raymond Cordy (ci-contre)

Pages suivantes : **La kermesse héroïque** (1935), hommage de Jacques Feyder à la peinture flamande.

Le grand jeu (1934,) tableau véridique de la Légion étrangère et atmosphère pittoresque du «bled».

mêmes que dans Les temps modernes de Charlie Chaplin. Elles provoquèrent des interdictions de la part de certaines censures, vraiment mesquines, car le film n'avait rien de provocateur ni de revendicatif et l'action s'en déroulait dans une atmosphère de bonne humeur dont la chanson que chantent les deux amis évadés de l'usine donne le ton : « Mon vieux copain, la vie est belle, quand on connait la liberté! ». Des intentions qu'on avait découvertes et auxquelles on ne s'attendait pas firent que le succès s'en ressentit. Dans Quatorze juillet (1932), René Clair revint à un de ces tableaux de vie faubourienne où il est sans rival. Les héros (Annabella et Georges Rigaud) en sont un conducteur de taxi et une petite fleuriste. Avec Sous les toits de Paris, Le million, Quatorze juillet, René Clair s'est créé un univers poétique qui lui appartient en propre. C'est pour cet univers que l'étranger le regarde comme l'incarnation et le symbole du cinéma français. Vint ensuite Le dernier milliardaire (1934) dont l'humour grinçant surprit de la part de l'auteur du Million, humour que l'interprétation de Max Dearly rendait encore plus déconcertant. Désorienté par cet échec, René Clair partit pour l'Angleterre où il réalisa Fantôme à vendre (1935) [1]. Revenu en France, il venait d'y commencer Air pur quand la guerre éclata. Il gagna alors l'Amérique où nous le retrouverons [1].

Jacques Feyder

De tous les membres de l'École cinématographique française, Jacques Feyder est certainement celui qui sut le mieux et le plus rapidement s'adapter aux exigences de la nouvelle technique. Il est vrai qu'il avait fait son apprentissage à Hollywood, ce qui lui a permis d'écrire : «...Je m'y étais imprégné du son avant de l'employer moi-même. Quand je me suis jeté à l'eau, d'autres en avaient pris la température, affronté les courants mystérieux, repéré les plus dangereux écueils [2]. » Son coup d'essai en France fut donc un coup de maître qui a nom Le grand jeu. Coup de maître, non tant par l'exploitation d'un milieu souvent exploité et presque toujours fort mal — celui de la Légion étrangère — mais surtout par celle d'une idée neuve en ce qui

[1] Cf. pp. 184 et 284.
[2] Jacques Feyder et Françoise Rosay : **Le cinéma notre métier.** Genève, Skira, 1944.

concerne l'emploi du son. Cette idée, Feyder l'avait eue à Hollywood, où il devait faire un film d'après une pièce de Pirandello : Comme tu me veux, qui était resté à l'état de projet [1]. Greta Garbo devant y incarner un personnage à double face, « ...j'avais imaginé, dit Feyder, de donner une autre voix que la sienne à Greta Garbo pour une partie de son rôle, de la "doubler" et de tirer ainsi d'un procédé technique généralement assez odieux un effet particulier et un mode d'expression dramatique. De là est né Le grand jeu où le même personnage, qui est peut-être deux personnages différents, conserve la même apparence physique mais possède deux timbres de voix [2] ». L'interprétation du Grand jeu était remarquable.

[1] Le film fut tourné par Edmund Goulding avec Greta Garbo et Erich von Stroheim.
[2] Op. cit.

Françoise Rosay avait composé un étonnant personnage de tireuse de cartes plus ou moins proxénète. Marie Bell était aussi juste sous chacun des aspects de son double personnage. Elles étaient entourées de Pierre Richard-Willm, Charles Vanel et Georges Pitoëff, dont ce fut une des rares apparitions sur les écrans. Feyder donna une nouvelle preuve de sa maîtrise dans Pension Mimosas (1935), sujet intime tout en nuances, puis dans La kermesse héroïque, avec Françoise Rosay, Jean Murat, Alerme et Louis Jouvet (1936), son œuvre restée la plus vivante dans les mémoires. C'est une évocation pittoresque et fastueuse de la vie d'une petite ville de Flandre sous l'occupation espagnole, inspirée, avec une grande richesse de décors et de costumes, des toiles de l'École picturale flamande : « Le plus grand effort — a dit Feyder — qui ait été fait pour diffuser et vulgariser à travers le monde l'art prestigieux des grands peintres » de son pays natal. Puis, cédant comme René Clair à l'appel d'Alexander Korda, Feyder était allé travailler pour la London Films et pour Marlene Dietrich (Le chevalier sans armure) [1]. A son retour, toujours soucieux de se renouveler, ç'avait été : Les gens du voyage (Françoise Rosay, André Brulé, Marie Glory), peinture vivante et brillante du cirque; puis La loi du Nord d'après le roman de Constantin-Weyer Telle qu'elle était de son vivant. L'action, menée par Michèle Morgan et Charles Vanel, se déroulait dans un pays de neige. Le film était terminé lorsque la guerre éclata mais la projection n'en fut autorisée qu'en 1942 sous un nouveau titre : La piste du Nord.

du muet au parlant

Pour la plupart des hommes qui avaient contribué à la fortune du cinéma français au cours des dix dernières années du muet, le passage au parlant s'effectua sans difficultés. C'est ainsi que Raymond Bernard, fidèle à son goût pour les grands spectacles, porta à l'écran la belle œuvre de Roland Dorgelès : Les croix de bois (1932) et le roman-fleuve de Victor Hugo : Les misérables (1934), avec une interprétation de premier ordre qui réunissait Harry Baur (Jean Valjean), Charles Vanel (Javert), Florelle (Fantine), Charles Dullin et Marguerite Moreno (les Thénardier). Léon Poirier, après avoir sonorisé son Verdun, visions d'histoire, en en renouvelant certains aspects, sous le titre : Verdun, souvenirs d'histoire, fit un bref détour par le XVIIIᵉ siècle

Venu du muet, Raymond Bernard fournit une remarquable adaptation des **Misérables** de Victor Hugo (1934).

[1] Cf. p. 184.

111

Léon Poirier mari-
vaude : **La folle nuit**
(1930), avec Suzanne
Bianchetti et G. Parzy.

Jacques de Baroncelli
donne une version par-
lante du **Rêve**, avec
Jaque Catelain et Char-
les Le Bargy.

léger et galant, avec La folle nuit. Il revint à
l'exotisme qui lui était cher, et ce fut L'appel
du silence, œuvre d'une grande noblesse où,
dans les sables du Hoggar, il fit revivre la belle
figure du Père de Foucauld, sous les traits
de Jean Yonnel (1936).
Fidèle lui aussi à son passé, Jacques de
Baroncelli enrichit de la parole le remake
d'un de ses grands succès, Le rêve, d'après
Zola. Le Bargy y succédait à Signoret et Jaque
Catelain à Eric Barclay. Puis ce fut au service
d'œuvres de tout repos qu'il mit son intelligence
et son expérience : L'Arlésienne (Germaine
Dermoz), L'ami Fritz — avant de laisser voir
une aimable fantaisie dans Je serai seule
après minuit, comédie musicale dont Mireille
Perrey fut la vedette.
Henri Fescourt fut empêché par la maladie
d'avoir une activité aussi intéressante qu'au
temps du muet. Pourtant, après avoir travaillé
dans les studios suédois, il mit à son actif

deux films solides : Bar du Sud et un remake de L'Occident (1937-1938).

C'est aussi à un remake — celui de Violettes Impériales, son plus grand succès, avec les mêmes vedettes qu'en 1923 : Raquel Meller et Suzanne Bianchetti — qu'Henry-Roussell dut le meilleur de sa production parlante, qu'il sacrifia d'ailleurs à son métier d'acteur.

Quant à Léonce Perret, après avoir donné à Mary Marquet son plus beau rôle à l'écran dans Sapho, d'après le roman d'Alphonse Daudet, il eut l'honneur de faire entrer le cinéma à la Comédie-Française en composant, avec deux pièces du répertoire, Les précieuses ridicules de Molière et Les deux couverts de Sacha Guitry, un programme que complétait un reportage sur la Maison de Molière, sa vie et ses richesses. Ce programme fut celui du spectacle de gala donné en présence du président de la République Albert Lebrun et de Louis Lumière, le 22 février 1935, pour l'inauguration de la salle rénovée.

une nouvelle génération

A l'heure où Louis Lumière, qui n'avait jamais cru au cinéma-spectacle, assistait à cette soirée, apothéose officielle du cinéma parlant et du théâtre filmé, il y avait déjà un certain temps que des hommes jeunes, qui n'avaient que peu été au service du cinéma muet, s'étaient consacrés de tout leur enthousiasme et de toute leur volonté à la difficile entreprise

de profiter des nouvelles techniques pour
donner vie à un cinéma répondant à des
tendances intellectuelles et artistiques différentes de celles de leurs aînés. Les meilleurs
ouvriers de cette mutation furent Marcel Carné
et Jean Renoir.

Marcel Carné et « Quai des Brumes »

De Marcel Carné, Pierre Leprohon a écrit :
« Il est l'héritier direct de la grande école
du cinéma français. Il fut témoin à la fois sur
le plan technique et sur le plan critique de la
crise du parlant. Il eut le privilège de servir
ceux qui surent le mieux reconnaître les
nouvelles valeurs qu'il s'agissait de mettre
en place. S'il la vécut ainsi aux côtés de ses
aînés, s'il travailla même à la faire aboutir,
Carné ne fut cependant pas directement
touché par cette mue du cinéma. Quand il
entra lui-même dans l'action, l'évolution était
accomplie, la syntaxe de ce nouvel art se
trouvait assez sûre pour permettre une
expression qui demeure aujourd'hui valable [1] ».
Voilà qui, s'il en était besoin, nous justifierait
de placer le nom de Marcel Carné avant tous
autres, en entamant ces pages sur la nouvelle
École cinématographique française, celle de
1930. Pour être tout à fait précis et pour rendre
à chacun ce qui lui revient dans cette évolution,
il convient de dire que, si Marcel Carné a droit
à une si éloquente présentation de la part
de Leprohon, c'est qu'avant d'être Marcel
Carné il avait été l'assistant de René Clair
et de Jacques Feyder, et que celui-ci lui avait
mis le pied à l'étrier quand, partant pour
l'Angleterre alors qu'on venait de lui confier
la direction de Jenny, il avait imposé Carné
pour le remplacer (1936). Il ne faudra à celui-ci
que deux ans et trois films pour se créer un
style et faire figure de chef d'école : Jenny,
avec Françoise Rosay et Albert Préjean (1936);
Drôle de drame, avec Françoise Rosay, Michel
Simon, Louis Jouvet, Jean-Louis Barrault (1937);
Quai des Brumes, avec Jean Gabin, Michèle
Morgan, Michel Simon (1938). Pour ces trois
films, Carné avait eu comme scénariste-
adaptateur Jacques Prévert, dont l'influence
restera considérable sur l'œuvre de Carné
jusqu'en 1945. Jenny est un bon mélodrame,
dans une note sentimentale assez convention-

[1] Pierre Leprohon : **Cinquante ans de cinéma français.**
Paris, Éditions du Cerf, 1954.

nelle. Drôle de drame est une sorte de « burlesque intellectuel », quelque peu incompris à sa naissance, mais qui prit sa revanche lors d'une nouvelle exploitation en 1951. Quai des Brumes est aussi un mélo, dont Carné a su faire un poème nostalgique sur un fond vériste, où la poésie de l'évasion rejoint le réalisme de la vie mélancolique d'êtres en proie à la déchéance. Quai des Brumes imprima pour des années au cinéma français une orientation qui ne fut pas sans lui nuire dans certains esprits. Sans doute avait-on déjà vu des films de mauvais garçons, mais aucun n'avait aussi nettement donné à penser que son caractère d'œuvre d'art était lié à son caractère en marge de la société et de la morale. André Gide a dit qu'on ne fait pas de bonne littérature avec de bons sentiments. Ce qui est vrai de la littérature l'est du cinéma. Il ne faut pourtant pas conclure qu'il suffit que les sentiments soient faisandés pour que le film soit de qualité. C'est pourtant cette conclusion que nombre de producteurs et d'auteurs de films tireront de Quai des Brumes et de l'accueil qui lui fut fait un peu partout. A commencer par Carné lui-même qui n'attendit pas la fin de l'année 1938 pour porter à l'écran le roman « populiste » d'Eugène Dabit : Hôtel du Nord, avec Annabella, Jean-Pierre Aumont, Arletty, Louis Jouvet. Ici, plus de mélo, mais un tableau d'un quartier populaire de Paris, tableau pittoresque et sensible, que l'on peut rapprocher de ceux que brossait René Clair. Ce tableau, on le retrouve dans Le jour se lève, avec Jean Gabin, Jules Berry, Arletty (1939), récit très simple mais précis, rigoureux, réglé comme une montre, des dernières heures d'un brave ouvrier d'usine devenu mauvais garçon par amour et qui, traqué par la police, finit par se suicider dans la chambre où il s'est barricadé. Le jour se lève est certainement très supérieur à Hôtel du Nord et certains y voient ce que son auteur a fait de mieux avant 1940. Il n'est peut-être pas sans utilité de rappeler que le récit commence par la fin et que l'action se déroule comme une suite de souvenirs. Ce procédé, intéressant par la liberté qu'il laisse au narrateur, se justifie parfaitement ici puisque c'est au moment de se suicider que le héros revit l'aventure à laquelle il va mettre le point final. Malheureusement, on abusera vite du « récit inversé », pour des sujets qui n'en vaudront pas la peine.

En page 114 : **Quai des Brumes** (1938) de Marcel Carné impose au monde entier le réalisme poétique français.

Pages précédentes : Arletty dans **Hôtel du Nord** (1938), où le réalisme de Carné se fait populisme pittoresque.

Jean Renoir

Marcel Carné est à peu près unanimement regardé comme le représentant le plus qualifié de cette nouvelle école, désignée le plus souvent sous le nom de réalisme poétique, mais ce n'est rien lui retirer de son mérite que de lui donner un devancier en la personne de Jean Renoir. Celui-ci avait débuté dans l'avant-garde [1]. Il s'en était évadé pour chercher sa voie dans les directions les plus diverses, hélas! sans se montrer très exigeant envers lui-même : cela donna On purge bébé, d'après Georges Feydeau, d'une vulgarité bien inutile (1931); La nuit du carrefour, d'après Simenon, avec Pierre Renoir dans le rôle du commissaire Maigret; Toni et La vie est à nous, où s'expriment des préoccupations sociales et politiques; même une Madame Bovary d'après Flaubert, qui, malgré le talent de Valentine Tessier, n'a pas laissé profonde trace dans l'esprit de ses spectateurs (1933). Pourtant, dans tout cela, il y avait eu deux films qui ouvraient, si l'on peut dire, des horizons. En 1931, La chienne, d'après un roman de G. de la Fouchardière dont J.-G. Auriol a dit qu'il était « le film français le plus important depuis Sous les toits de Paris pour ses qualités de sensibilité, de vérité, de franchise maladroite [2] ». Par ces mêmes qualités se recommande La partie de campagne, d'après une nouvelle de Guy de Maupassant, film entrepris en 1937, resté inachevé et qui, toujours inachevé, n'arriva devant le public qu'en 1946. C'est peut-être le plus bel exemple de ce « réalisme poétique » qui est la marque la plus originale du cinéma français des années 30. A côté de La partie de campagne, il faut faire une place, dans l'œuvre de Renoir, au Crime de Monsieur Lange qui est, après La chienne, un point de repère important quant au caractère « populiste » de cette œuvre. Le scénario du film était dû à Jacques Prévert. Il aurait pu être signé Eugène Süe ou Émile Zola, s'il n'avait été empreint d'une ironie corrosive et d'un humour glacé, propres à l'écrivain : preuve de l'importance prise par le scénariste-dialoguiste dans la personnalité de l'œuvre cinématographique. Après Le crime de Monsieur Lange, Jean Renoir est mûr pour donner aux écrans son chef-d'œuvre : La grande illusion. C'est là un des films qui ont fait couler le plus d'encre et provoqué les

---

[1] Cf. vol. 1.
[2] **Revue du Cinéma,** décembre 1931.

commentaires les plus passionnés. Presque autant que Le cuirassé Potemkine d'Eisenstein ou Le dictateur de Chaplin. Ici, Jacques Prévert a cédé la place à Charles Spaak, qui a situé son action dans un camp de prisonniers en Allemagne pendant la guerre 1914-1918. Dans le cadre de ce tableau soigneusement objectif, plusieurs thèses se développent. La principale est que les hommes se sentent plus près les uns des autres par leur origine sociale que par leur nationalité. Est-ce donc l'importance accordée traditionnellement aux frontières qui est « la grande illusion »? Ou, pour les combattants retirés des combats, de croire que la guerre pour laquelle ils souffrent encore sera la dernière? Ce qui est certain, c'est que l'intérêt y est constant. L'interprétation, dominée par Pierre Fresnay et Erich von Stroheim, qui donnent tout son sens à l'affrontement de l'officier français et de l'officier allemand, est remarquable, grâce aussi à Jean Gabin, Marcel Dalio et Dita Parlo.

A La grande illusion succédèrent La Marseillaise qui, influencée par une idéologie contestable, est une erreur, et La bête humaine, avec Jean Gabin, Fernand Ledoux, Simone Simon, Blanchette Brunoy (1938), d'après le roman d'Émile Zola, qui vaut beaucoup mieux et est du bon Jean Renoir, surtout par la façon dont la vie du rail y est mise en images. C'est enfin La règle du jeu, avec Dalio, Jean Renoir, Julien Carette, Paulette Dubost, Nora Grégor (1939). Jean Renoir, qui en était le scénariste, le réalisateur, le dialoguiste, le producteur et un des acteurs, disait en commençant le travail : « Nous allons essayer de faire un drame gai. Ç'a été l'ambition de toute ma vie! » Il y a beaucoup de choses dans La règle du jeu. Il y a surtout le désir de montrer que « le monde » — ce qu'on appelait « le monde » au temps de Marcel Proust — n'a rien à envier au « milieu » selon Francis Carco. Entre Proust et Carco se glissait Beaumarchais. Et tout cela formait un « horrible mélange » auquel le public d'alors resta insensible, sinon réfractaire. Ce qui n'empêcha pas Jean Renoir de garder une tendresse toute particulière pour ce film, dont il dit à Claude Mauriac en 1951 qu'il fut pour lui « un aboutissement, un couronnement mais aussi un commencement [1]. »

---

[1] Claude Mauriac : L'amour du cinéma. Paris, Albin Michel, 1954.

Erich von Stroheim et Pierre Fresnay dans **La grande illusion** (1937), profession de foi pacifiste de Jean Renoir et chef-d'œuvre peut-être du cinéma français.

Carette et Gaston Modot dans **La règle du jeu** (1939), « drame gai », que certains jugèrent démoralisant.

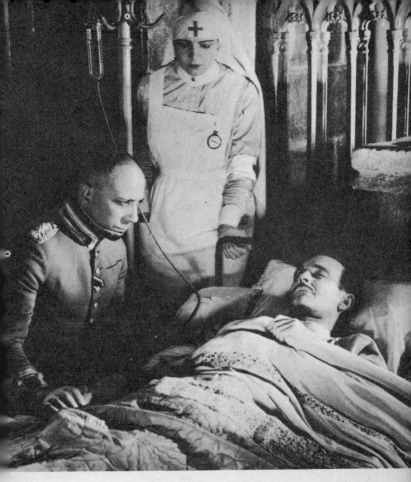

Duvivier, Benoit-Lévy, Grémillon

Marcel Carné et Jean Renoir sont les deux représentants les plus affirmés de la nouvelle école et du nouveau réalisme, mais ce serait une grave erreur de croire qu'auprès d'eux il n'y a personne. Ils sont au contraire nombreux, ceux qui ont été les bons ouvriers de l'art cinématographique français en ces années de renouveau. Le plus actif est Julien Duvivier qui, après avoir fait une vingtaine de films muets, en produira de 1930 à 1939 une douzaine où s'affirment une expérience, une conscience, une solidité inattaquables. De ces films très divers, tirés le plus souvent de romans, il faut particulièrement retenir

David Golder **(1930)**, d'après Irène Nemirovsky, qui fut pour Harry Baur ce que Marius fut pour Raimu ; un remake de son Poil de Carotte ; Marla Chapdelaine **(1934)**, d'après Louis Hémon, tourné au Canada sur les lieux mêmes ; La Bandera **(1935)**, drame vigoureux que certains regardèrent à cette date comme le meilleur film de son auteur ; La belle équipe **(1936)** qui révéla Viviane Romance ; Pépé le Moko **(1936)**, film policier dans le cadre pittoresque de la Casbah d'Alger ; enfin Un carnet de bal où une jeune veuve, un soir de mélancolie, retrouve un vieux carnet de bal et, s'étant lancée à la recherche de ceux qui y ont inscrit leurs noms parce qu'ils étaient amoureux d'elle, n'a plus en face d'elle que des hommes vieillis, ombres décevantes d'un passé sans doute fait d'illusions. Idée ingénieuse, parée d'une poésie facile qu'exprimait avec autant de tact que de charme une remarquable partition de Maurice Jaubert. Avec la collaboration d'Henri Jeanson, Bernard Zimmer et Jean Sarment pour les dialogues, Duvivier avait

fait de Carnet de bal le meilleur « film à
sketches », avec Si j'avais un million. L'interprétation, réunie autour de Marie Bell et qui
allait de Louis Jouvet et Raimu à Françoise
Rosay, Harry Baur, Pierre Blanchar et
Fernandel, ne fut pas pour rien dans le succès
de ce chef-d'œuvre de virtuosité intelligente
et de pleine possession d'un métier sûr de
lui. Julien Duvivier partit alors pour Hollywood [1]. A son retour et avant la guerre, il fit
encore deux films : un remake de La charrette
fantôme de Victor Sjöström (il est des fantômes
qu'il est prudent de laisser dormir) et La fin
du jour (1939), tableau pessimiste, amer et
émouvant de vieux comédiens (Louis Jouvet,
Victor Francen et Michel Simon) achevant
leur vie dans une maison de retraite. Déjà
fort variée, l'œuvre de Duvivier doit encore,
en toute justice, s'enrichir de Golgotha (1934),

[1] Cf. p. 76.

évocation des derniers jours de la vie du Christ, dont Robert Le Vigan avait, en grand artiste, présenté une figure d'une simplicité fort émouvante. Enfin, il n'est peut-être pas interdit de faire remarquer la place importante que Duvivier a faite parmi ses interprètes à Jean Gabin ni d'en conclure que, si celui-ci est devenu ce qu'il est, c'est pour une bonne part — la meilleure sans doute — à Duvivier qu'il le doit.

Comme Duvivier, Jean Benoit-Lévy avait débuté modestement au temps du muet; mais, presque dès les débuts du parlant, entreprenant un sujet difficile, il s'était imposé avec La maternelle, dont une œuvre de Léon Frapié lui avait fourni l'idée. C'était presque un reportage sur la vie quotidienne d'une modeste école maternelle d'un faubourg parisien. De ce sujet ingrat, il avait réussi, avec sa collaboratrice habituelle Marie Epstein, à faire le film le plus vrai, le plus vivant qu'on pût souhaiter, le plus émouvant aussi, sans la moindre sensiblerie. Les interprètes qu'il avait choisies étaient pour quelque chose dans cette réussite d'une rare qualité, qu'il s'agît de la petite Paulette Elambert, étonnante de sensibilité mystérieuse, ou de Madeleine Renaud, grande comédienne, qu'entouraient Mady Berry, Henri Debain et une troupe d'enfants d'une inattaquable spontanéité. Jean Benoit-Lévy mit par la suite son nom en tête de plusieurs films où la jeunesse a le plus souvent la première place : Altitude 3 200, Hélène, La mort du

Avec **Pépé le Moko** (1937), Julien Duvivier transcende un sujet « gangster » en y développant le thème tragique du destin.

En page 123 : Robert Lynen et Christiane Dor dans la version parlante (1932) que Duvivier fit de son **Poil de Carotte**, d'après Jules Renard.

Marie Bell et Louis Jouvet dans **Un carnet de bal** (1937), grande réussite du film à sketches.

cygne (1937), d'après un scénario de Paul Morand, sur la vie des jeunes danseuses du corps de ballet de l'Opéra (Yvette Chauviré, Janine Charrat, Mia Slavenska). Mais, quels que soient les mérites de ces films intelligents et soignés, il n'y a pas d'autre Maternelle dans l'œuvre de Benoit-Lévy.

Comme Duvivier et Jean Benoit-Lévy, Jean Grémillon n'était plus tout à fait un débutant quand le film se trouva doté de la parole. Son premier film parlant, La p'tite Lise (1930), ne révélait pas des qualités telles qu'il pût travailler en complète indépendance. Il dut donc, pendant un temps, accepter des besognes alimentaires qu'il désavoua par la suite. Enfin, après un Gueule d'amour encore quelque peu indécis, tourné en Allemagne, il put s'affirmer en 1938 avec L'étrange Monsieur Victor, dont Albert Valentin lui avait fourni le scénario et qui pouvait procurer à Raimu un rôle à sa mesure, celui d'un modeste commerçant qui, sous les apparences de la plus traditionnelle honorabilité, n'est qu'un abominable gredin n'hésitant pas à laisser condamner à sa place un innocent. Ce fut pour Raimu un de ses meilleurs rôles, un de ceux où il manifesta le plus de liberté et

J. Benoit-Lévy excelle dans les films d'enfants ou de jeunes. Ci-contre: Paulette Elambert dans **La maternelle** (1933). — Ci-dessous : Janine Charrat et Mia Slavenska dans **La mort du cygne** (1937).

d'autorité. L'atmosphère du film avait été composée par Grémillon en homme pour qui le réalisme est la seule loi. Ce fut un succès, qui plaça le jeune metteur en scène au premier rang et lui permit d'entreprendre un film où son âme de Breton allait pouvoir s'épanouir à son aise : Remorques, avec Jean Gabin, Michèle Morgan, Madeleine Renaud (1939), d'après un roman de Roger Vercel. Film à la fois psychologique et d'atmosphère, combinant magistralement le comportement des personnages avec l'ambiance dans laquelle ils se meuvent. La partition musicale, signée Roland Manuel, enrichie de chœurs psalmodiés, en faisait par moments une sorte d'oratorio.

noms nouveaux

De la naissance du parlant à la seconde guerre, toute une vague de noms nouveaux déferla sur les écrans français. Nombre d'entre eux étaient destinés à y rester longtemps. Georges Lacombe, ex-assistant de René Clair, fit montre de sensibilité discrète dans Jeunesse (1934) et Les musiciens du ciel (1939) dont René Lefèvre lui avait fourni le sujet, riche en excellents sentiments, certains des personnages (Michèle Morgan, Michel Simon)

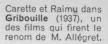
Carette et Raimu dans **Gribouille** (1937), un des films qui firent le renom de M. Allégret.

appartenant aux rangs de l'Armée du Salut. Marc Allégret, après Fanny et quelques besognes alimentaires, avait été choisi par Philippe de Rotschild pour diriger la mise à l'écran du roman de Vicki Baum Lac aux dames, dont les dialogues étaient signés Colette et qui révéla Simone Simon et Jean-Pierre Aumont (1934). Gribouille, d'après Marcel Achard, révéla Michèle Morgan, qu'encadraient Raimu et Jeanne Provost. Il en fit la partenaire de Charles Boyer dans Orage, d'après Le Venin d'Henry Bernstein (1937), tous films solides et prouvant une maîtrise qui s'affirma avec Entrée des artistes (1938). Interprété par Claude Dauphin, Odette Joyeux, Janine Darcey, sur un scénario d'Henri Jeanson et André Cayatte, ce film montrait la vie des jeunes élèves d'une classe du Conservatoire, dont le professeur était Louis Jouvet jouant son propre personnage.

Christian-Jaque, ancien élève de l'École des beaux-arts et décorateur de films, se révéla particulièrement efficace lors de sa collaboration avec Pierre Véry : Les disparus de Saint-Agil avec Erich von Stroheim, Le Vigan, Mouloudji (1937), excellent film policier et, ce qui vaut mieux, excellent film d'enfants; L'enfer des anges (Mouloudji, Louise Carletti, 1939), peinture poignante de la vie de l'enfance dans les faubourgs de Paris, vit les débuts de Pierre Laroche comme scénariste. Henri Decoin, journaliste sportif, puis scénariste (Un soir de rafle de Carmine Gallone), débuta dans la mise en scène en réalisant pour Danielle Darrieux, sa femme, plusieurs films dont le meilleur est sans doute Abus de confiance (1938) où elle avait pour partenaires Valentine Tessier et Charles Vanel; à moins que ce ne soit Battements de cœur.

Pierre Chenal, après plusieurs courts métrages intelligents, aborda des sujets plus importants : Le martyre de l'obèse, d'après le roman d'Henri Béraud, Crime et châtiment d'après Dostoïevski, sans doute ce qu'il a fait de mieux, Le dernier tournant (1939), adaptation du roman de l'Américain James Cain Le facteur sonne toujours deux fois.

Léonide Moguy avait débuté dans les studios russes, puis avait travaillé en France comme monteur. Il fit ses débuts de metteur en scène dans Le mioche (1936), bon succès populaire où Madeleine Robinson se fit remarquer. Y succéda Prison sans barreaux (1938) sur l'enfance délinquante et les maisons de redressement, première manifestation de l'intérêt que son auteur montrera tout au long de son œuvre pour les questions sociales. A ces noms, on peut encore ajouter ceux d'André Berthomieu, Maurice Cloche, Jean Dréville, plus ou moins chargés de promesses. Enfin il ne faut pas oublier, d'une part, les Français qui, après s'être fait un nom à Hollywood, avaient regagné la France et y avaient repris leur activité ni, d'autre part, les acteurs qui étaient passés d'un côté à l'autre de la caméra.

retour de Hollywood

De tous les Français qui s'étaient fait une situation dans les studios américains, Maurice Tourneur avait été le premier à revenir en France. Dès 1927, il avait connu un grand succès avec L'équipage, d'après le roman de Joseph Kessel. Le cinéma étant devenu parlant, il avait mis sa grande expérience au service d'un scénario de J.-J. Frappa : Accusée, levez-vous! qui, d'emblée, fit de Gaby Morlay la vedette qu'elle n'avait pas réussi à être

du temps du muet. Les gaîtés de l'escadron (1931) d'après Courteline, avec Raimu, Gabin, Henry-Roussell, et un remake de Kœnigsmark (1935) n'ajoutèrent pas grand-chose à sa renommée, mais il se rattrapa avec Katia, évocation soignée d'une page de l'histoire amoureuse de la cour impériale de Russie. Danielle Darrieux y fut charmante.

Aux studios Paramount de Joinville, Louis Gasnier fit plusieurs films dont le Topaze de Marcel Pagnol, avec Jouvet, Pauley, Edwige Feuillère (1932). Jean de Limur, efficace collaborateur de Douglas Fairbanks, de Max Linder et de Charlie Chaplin, déploya de 1933 à 1939 une grande activité. A côté d'un remake de La garçonne (Marie Bell, 1936), le meilleur de ses films est Le père Lebonnard qu'il tourna à Rome (1939) avec R. Ruggeri et Jeanne Provost.

Le plus célèbre des acteurs qui ne surent pas résister à la tentation de se faire réalisateur fut incontestablement Firmin Gémier. En tant qu'acteur, il n'avait mis que rarement son talent au service du cinéma que, comme Jouvet et quelques autres, il n'aimait pas. Il n'en était pas moins tentant pour ce grand animateur de formes spectaculaires de se mesurer avec les images animées. Il se lança dans l'aventure en jouant la difficulté. Il tourna au Sahara Le simoun d'H.-R. Lenormand, un de ses plus grands succès. Le travail se heurta à de terribles difficultés, du simple fait des conditions dans lesquelles il se déroulait.

**d'un côté
à l'autre
de la caméra**

A gauche : **Les gaîtés de l'escadron** (1931) de Maurice Tourneur, d'après Georges Courteline, avec Fernandel et André Brunot.

Le père Lebonnard (1939) de Jean de Limur, avec Jeanne Provost, Ruggero Ruggeri et Pierre Brasseur.

Le révolté (1938) de Léon Mathot, avec Pierre Renoir et René Dary.

Le duel (1939), d'après Lavedan, réalisé par Pierre Fresnay, avec Pierre Fresnay, Raimu et Raymond Rouleau.

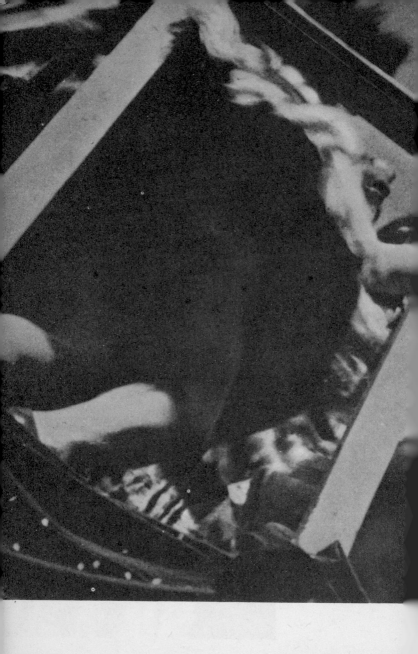

A propos de Nice (1930) de Jean Vigo : Un « point de vue documenté » sur le jeu et l'oisiveté, qui est aussi un réquisitoire et une provocation.

Le résultat fut tel que Gémier mourut sans avoir pu se livrer à une nouvelle expérience.

En face de cet échec il faut placer la réussite de Léon Mathot qui, vedette de trente films, n'ignorait rien du cinéma. Il le prouva en dirigeant les films les plus divers : comédie dramatique (L'instinct), comédie musicale (Le comte Obligado), film réaliste (Chéri-Bibi), film d'espionnage. Le meilleur de cet ensemble est Le révolté (1938) d'après un roman de Maurice Larrouy, drame sobre, ayant pour cadre un bâtiment de la marine de guerre. Il permit à son interprète principal, René Dary (ex-Bébé des films de Feuillade, 1910-1912), de commencer une nouvelle carrière.

Une autre réussite fut celle de Maurice de Canonge, réussite commerciale où il faut distinguer Grisou, drame de la mine d'après une pièce de Pierre Brasseur, qui en tenait le rôle principal avec Odette Joyeux et Madeleine Robinson (1938).

Quant à Raymond Rouleau, son activité de metteur en scène fut « à éclipses ». On en peut retenir Le messager (1937), d'après la pièce d'Henry Bernstein. Enfin on peut mettre le point final à ce chapitre avec Pierre Fresnay, qui porta à l'écran la pièce d'Henri Lavedan : Le duel, Choix étrange, le sujet étant si peu cinématographique que, malgré tout son talent et celui d'Yvonne Printemps, de Raimu et de Raymond Rouleau, il ne put le sauver.

cinéastes maudits

Dita Parlo et Jean Dasté dans l'**Atalante**, (1934), testament poétique de Jean Vigo.

Zéro de conduite (1933), ou la révolte des enfants contre la société.

Comme il est des « poètes maudits », le cinéma a eu ses hommes sur qui le sort s'est acharné et qui en ont eu leur talent influencé, leur carrière entravée. Tel Jean Vigo. Fils de l'anarchiste Almereyda, accusé en 1917 d'intelligence avec l'ennemi et « suicidé » dans sa cellule, Jean Vigo avait eu son enfance marquée par ce drame. Son œuvre est l'extériorisation de ses rancœurs et de ses révoltes. Cette œuvre comprend A propos de Nice (1930), qualifié par lui de « point de vue documenté », en fait un réquisitoire contre la société bourgeoise. Zéro de conduite (1933) est d'un caractère plus personnel. C'est un tableau autobiographique de la vie de collège, tableau féroce dont on ne peut se faire qu'une idée très approximative, car la censure, qui l'avait interdit pour incitation à l'indiscipline, y pratiqua des coupes sombres quand, en 1944, elle en autorisa la projection. L'Atalante, qui succéda un an plus tard à Zéro de conduite,

se heurta également à l'hostilité de la censure et à l'incompréhension de son distributeur, lequel fit intercaler dans la partition de Maurice Jaubert une rengaine alors en vogue : Le chaland qui passe, titre qui finalement fut celui du film. C'est la toute simple histoire d'une jeune femme qui, ayant épousé un marinier, passe de la vie sédentaire des champs à celle, ambulante, de la péniche et découvre des êtres et des choses dont elle ne soupçonnait pas l'existence. Le film, dont les interprètes étaient Dita Parlo, Jean Dasté, Michel Simon, Gilles Margaritis, était à peine terminé que Jean Vigo mourait. Il avait 30 ans [1]. Le sort s'est également acharné sur Jeff Musso, ex-assistant de John Ford à Hollywood, artiste de grande sensibilité et technicien éprouvé. Il donna en 1937 un film, évidemment

[1] Pour conserver le souvenir de Jean Vigo, son ami Claude Aveline créa le prix Jean Vigo, qui est attribué chaque année à un film conçu et réalisé dans l'esprit non-conformiste qui avait présidé à la naissance de **Zéro de conduite**.

Sacha Guitry, après avoir cinématographié ses pièces, fit avec **Le roman d'un tricheur** un film narratif qu'il commentait à la première personne (1936)

138

influencé par son ancien maître mais plein de qualités très personnelles : Le puritain, d'après un roman de l'Irlandais Liam O'Flaherty, avec Jean-Louis Barrault, Pierre Fresnay et Viviane Romance; film à l'atmosphère embrumée, enfumée, qui créait une sorte d'envoûtement. Après quoi Musso eut toutes les peines du monde à en faire un second : Dernière jeunesse, avec Raimu et Jacqueline Delubac (1939). Jamais les industriels du film n'avaient mieux montré leur incapacité à utiliser les talents qui s'offraient à eux.

un film unique

La période précédant immédiatement la seconde guerre se termine par un film que l'on peut qualifier d'unique dans l'histoire du cinéma français : L'espoir, que réalisa André Malraux pendant la guerre civile espagnole, alors qu'il combattait dans les rangs républicains. Unissant à la rigueur d'un documentaire l'intérêt d'une intrigue simple mais qui tient le spectateur en haleine, c'est une œuvre profondément émouvante, d'une qualité humaine rarement atteinte à l'écran. L'espoir ne put être projeté qu'au lendemain de la Libération mais ce retard ne lui retira rien de sa valeur ni de sa signification.

Sacha Guitry

De Sacha Guitry homme de cinéma, on peut dire beaucoup de choses, la moins discutable étant qu'il ne ressemble à aucun autre. Il avait commencé par mépriser le cinéma, ce qui ne l'avait pas empêché de composer un documentaire-reportage : Ceux de chez nous (1915) où il montrait à leur travail et dans leur intimité des personnalités comme son père, Rodin, Sarah Bernhardt, Anatole France, Degas, Renoir et quelques autres. La projection était accompagnée d'un commentaire dit par Charlotte Lysès à l'avant-scène, exactement comme chez Dufayel aux premiers temps du cinématographe [1]. En 1918, il avait écrit un scénario : Un roman d'amour et d'aventures, qui avait été réalisé par Mercanton et Hervil. Il y tenait deux rôles, ceux de deux frères radicalement opposés, auprès d'Yvonne Printemps. Puis des années avaient passé, mais il aimait trop le théâtre pour ne pas être séduit par le point de vue de Pagnol, le jour où le cinéma se mit à parler. Il autorisa donc Robert Florey à filmer une de ses pièces

---

[1] Par la suite, le film fut sonorisé, le commentaire étant dit par l'auteur.

créée aux Variétés : Le blanc et le noir (Raimu et Fernandel, 1931), puis Léonce Perret à enregistrer Les deux couverts (1935), avec de Féraudy et Gabrielle Robinne qui en étaient les interprètes sur la scène de la Comédie-Française. Cette formule de théâtre filmé acheva de conquérir Guitry. Il se fit son propre réalisateur. Toutes ses pièces devaient y passer, à commencer par Pasteur et Le Nouveau Testament, ce qui l'amena à se rendre compte qu'il y avait autre chose à faire. Il le fit. Ce fut Le roman d'un tricheur où reparaît le personnage du commentateur présentant l'action qui se déroule silencieusement sur l'écran. Ce n'est plus du « théâtre filmé », tout au contraire, puisque c'est une dissociation ingénieuse des images et des paroles [1]. Sacha Guitry eut de nouveau recours à ce procédé dans Les perles de la Couronne et Remontons les Champs-Élysées (1938), évocations historiques sur le mode simplificateur et gouailleur; mais les personnages n'y étaient plus muets et le commentateur intervenait entre les dialogues. Ceci ne l'empêcha pas de poursuivre la « mise en conserve » de plusieurs de ses pièces : Mon père avait raison, Désiré, Quadrille...

Un autre homme qui s'était fait une place importante dans le monde du spectacle, le chanteur-poète Charles Trenet, fut attiré par le cinéma; mais les deux films dont il fut le scénariste et la vedette, La route enchantée et Je chante (1938-1939), ne connurent pas le succès que méritait leur aimable fantaisie.

les étrangers en France

Lors de la naissance du parlant, certains pensèrent que les coproductions internationales allaient être gênées. Il n'en fut rien. Les producteurs de films continuèrent à conclure des accords par-dessus les frontières. Peut-être même y eut-il dans les studios français plus de cinéastes allemands que jamais. Nombreux furent ceux qui, fuyant le régime hitlérien, vinrent y chercher refuge et travail.

Parmi eux, quelques-uns des meilleurs, à commencer par Fritz Lang. Il dirigea à Paris la mise à l'écran de la pièce du Hongrois Ferenc Molnár : Liliom (1934), avec Bernard Zimmer pour dialoguiste. G. W. Pabst et Alexis Granowsky, aussi ambitieux l'un que l'autre, s'attaquèrent à des sujets difficiles : le premier au chef-d'œuvre de Cervantès Don Quichotte (Chaliapine) dont l'adaptation et les dialogues

[1] Le procédé ne fut que rarement utilisé. Il le fut pourtant par l'Anglais Robert Hamer dans **Noblesse oblige** (1949, cf. vol. 3).

étaient signés Alexandre Arnoux et Paul Morand, et la partition musicale Jacques Ibert [1]; le second au roman audacieux de Pierre Louÿs, Les aventures du roi Pausole, avec André Berley, Armand Bernard et tout un harem de jolies femmes, parmi lesquelles Edwige Feuillère. Tout cela en la seule année 1934, et pour décevoir quelque peu leurs admirateurs. A côté d'eux, Richard Oswald crut bon de refaire Tempête sur l'Asie avec Conrad Veidt, Sessue Hayakawa et Madeleine Robinson; il eut bien tort. Max Ophüls, auréolé de son succès de Liebelei [2], faisait dans les studios français, de 1935 à 1939, six films dont les plus intéressants sont Divine, d'après L'envers du music-hall de Colette, La tendre ennemie, d'après la pièce d'André-Paul Antoine et De Mayerling à Sarajevo où les drames de la dynastie agonisante des Habsbourg étaient évoqués avec somptuosité.

L'apport hongrois n'est guère moins important. Alexander Korda, entre son retour de Hollywood et son départ pour Londres, fit une Dame de chez Maxim's qui, malgré l'esprit de Florelle, n'ajoute rien à sa renommée. Paul Fejos, retour lui aussi d'Amérique, crut qu'il pourrait avec profit ressusciter le Fantômas de Feuillade; après quoi, sans insister, il regagna son pays natal. Nicolas Farkas, d'opérateur, se fit metteur en scène avec des remake de deux films à succès : La bataille, où il confia à Charles Boyer et à Annabella les rôles tenus naguère par Sessue Hayakawa et Tsuru Aoki, et Variétés avec, en version française, Jean Gabin, Fernand Gravey et Annabella dans les rôles que E. A. Dupont avait confiés à Jannings, Warwick Ward et Lya de Putti.

De Prague vint Karel Lamač qui, ayant à faire trois films de coproduction germano-française pour sa vedette Anny Ondra, tourna à Paris une Chauve-souris d'après l'opérette de Johann Strauss, puis alla faire les deux autres à Munich. De Berlin, où il travaillait depuis quelque temps, arriva Fedor Ozep qui fit à Paris deux films où l'on retrouve le meilleur de son talent sobre et vigoureux : Amok (1934) d'après l'œuvre de Stefan Zweig adaptée et dialoguée par H. R. Lenormand — où il réussit à reconstituer en studio l'atmosphère lourde et fiévreuse de la jungle malaise — et La dame de pique avec André Luguet, Pierre Blanchar et Marguerite Moreno, d'après la nouvelle de Pouchkine adaptée et dialoguée par Bernard Zimmer.

[1] Il demanda aussi à Jean Angelo de ressusciter son personnage de L'Atlantide en compagnie de Pierre Blanchar et de Brigitte Helm.
[2] Cf. p. 162.

Deux films qui tranchent délibérément sur le reste des coproductions sortant des studios français. Seuls en approchent les films que signa Anatol Litvak, arrivant lui aussi de Berlin où il avait surtout fait des films musicaux : ce sont *Cœur de lilas*, dont Marcelle Romée fut la vedette, puis un remake de *L'équipage*, et surtout *Mayerling* (scénario de Joseph Kessel d'après un ouvrage de Claude Anet; musique d'Arthur Honegger, 1935) où Charles Boyer et Danielle Darrieux, faisant revivre le couple historique, étaient entourés d'une interprétation prestigieuse (Gabrielle Dorziat, Gina Manès, Fernand Ledoux, Jean Debucourt et dix autres). Ce fut le chant du cygne de Litvak en Europe. Il la quitta pour se fixer aux États-Unis où il connut la plus brillante réussite [1].

De son côté, l'Italie fut représentée dans les studios français par trois de ses plus sûrs vétérans. Augusto Genina fit *Prix de beauté*, sur un scénario de René Clair, avec en vedette Louise Brooks venue de Hollywood; Carmine Gallone *Un soir de rafle*, avec Albert Préjean, sur un scénario d'Henri Decoin et *Ma cousine de Varsovie* (Elvire Popesco dans le rôle créé par elle sur la scène), tribut au théâtre filmé, comme *La marche nuptiale*, d'après Henri Bataille, où Mario Bonnard donna Suzanne Desprès et Henri Marchand pour partenaires à Madeleine Renaud.

Enfin Carl T. Dreyer, après l'accueil que sa *Passion de Jeanne d'Arc* avait reçu en France, y était resté, espérant y faire une *Madame Bovary*. Au lieu de quoi ce fut *Vampyr* ou *l'étrange aventure de David Gray* (1930), trouble histoire de fantômes évoluant dans le brouil-

Prix de beauté de René Clair, tourné par Augusto Genina, doit beaucoup au charme de Louise Brooks.

Mario Bonnard filma en France **La marche nuptiale** d'Henri Bataille, avec Jean Marchat, Henri Marchand et Madeleine Renaud.

Pp. 144-145 : **Vampyr** de Dreyer, film de transition, encore dans le style du cinéma muet.

[1] Cf. pp. 275, 283 et v. 3.

lard, selon les principes de l'expressionnisme
allemand : film plein des meilleures intentions
cinématographiques, mais qui arrivait trop tard
et pouvait difficilement s'accommoder de la
parole (1935).

Cette énumération, longue et bien incomplète,
indique la place importante que les collaborations internationales tinrent dans l'activité du
cinéma en ces années 1930-1939. Aucun des
films qui résultèrent de cette activité n'est ce
que son auteur a fait de mieux. On peut le
regretter mais non s'en étonner, car il est
prouvé depuis longtemps que ce n'est pas
dans le domaine des collaborations internationales que l'art cinématographique produit
ses chefs-d'œuvre. Les exceptions à cette règle
peuvent se compter.

A la naissance du parlant, le cinéma allemand traversait une crise assez grave, comme tous ses concurrents, et Heinrich Mann avait créé l'Association populaire du cinéma pour essayer d'intéresser les foules à un cinéma plus humain, enrichi de préoccupations sociales. Toutefois, malgré les difficultés et les amputations de talents que lui avait fait subir Hollywood, la société UFA était toujours puissante et les studios berlinois possédaient un système d'enregistrement sonore — le système Triergon — qui leur assurait une supériorité sur ceux de France et d'Italie. Grâce à un accord intervenu entre le Deutscher Lichtspiel Syndikat (groupement professionnel des directeurs de salles) et la société Tobis (Tonbild Syndikat) devenue bientôt la Tobis-Klangfilm (août 1929), le procédé Triergon put rapidement entrer en exploitation et, dès janvier 1929, des films sonores avaient paru sur l'écran de l'Atrium Beba Palace de Potsdam.

Le premier avait été Mélodie du monde de Walter Ruttmann, un homme qui avait des idées personnelles sur l'utilisation du son et de la parole dans le spectacle cinématographique. N'avait-il pas écrit : « Il faut employer le son en contrepoint. Par exemple, vous entendez une explosion et vous voyez le visage effrayé d'une femme ou encore vous entendez un air sentimental sur un violon et vous voyez une main qui en caresse une autre. » Parlant ainsi, Ruttmann rejoignait un René Clair, un Abel Gance. S'agissant du théâtre filmé, il n'était pas moins net : « Un film dialogué, même s'il est mieux que du théâtre, aura toujours de ces moments qui ne sont que des passages de pièces vus de très près. Je ne crois pas que cela puisse faire avancer en rien le cinéma. Au contraire. [1] » Mettant ces idées en pratique, Ruttmann composa Mélodie du monde en ajustant savamment des séquences de documentaire, que commentait une partition musicale non moins habilement composée par Wolfgang Zeller : le succès fut très grand. La démonstration était faite que l'utilisation des nouveaux procédés techniques à des fins artistiques était possible [2].

[1] Cité par Marcel Lapierre : Les cent visages du cinéma. Paris, Grasset, 1948.
[2] Par la suite, dans Week-end, il semble avoir pensé bien plus à la radio qu'au cinéma. Puis ce furent des films scientifiques (L'ennemi dans le sang) et des films de propagande hitlérienne.

opérettes

Chansons et petite histoire : **Le Congrès s'amuse** d'Erik Charell (1931). Ci-dessous, Armand Bernard et Pierre Magnier dans la version française. — En page 149, Conrad Veidt et Lil Dagover dans la version allemande.

C'est dans la musique que le cinéma allemand alla chercher ses premiers sujets d'inspiration. Son premier succès dans ce domaine fut Liebeswalzer, que le Viennois Wilhelm Thiele réalisa pour la UFA et qui lui valut, ainsi qu'à ses interprètes Lilian Harvey et Willy Fritsch, d'être pour un bon moment les favoris du public allemand. A Liebeswalzer succéda Die Drei von der Tankstelle (Le chemin du paradis, 1930) dans la version française duquel, à côté de Lilian Harvey, Henri Garat remplaça Willy Fritsch. Les mêmes interprètes se retrouvèrent, l'année suivante, dans Der Kongress tanzt (Le Congrès s'amuse) signé non plus Wilhelm Thiele mais Erik Charell. Entreprise plus

ambitieuse, puisqu'il ne s'agissait de rien moins que de faire revivre la Vienne de 1815, à l'époque où le fameux Congrès qui devait remodeler l'Europe réunissait sur les bords du Danube souverains et diplomates. Dans cette atmosphère hautement historique, le tsar Alexandre se lançait à la conquête d'une petite gantière. Servie par une musique dont les mélodies faciles furent bientôt sur toutes les lèvres, la fantaisie des interprètes triompha de tout ce qu'il y avait d'insolite dans le sujet et Le Congrès s'amuse fut le premier grand succès international du cinéma européen depuis la naissance du parlant : la musique régna sur les studios de Berlin et de Munich et Henri Garat fut promu grande vedette du cinéma français.

Il n'y eut pourtant pas d'autre Congrès s'amuse mais seulement un Pays du sourire, adaptation par Max Reichmann de l'opérette de Franz Lehar, avec Richard Tauber qui en avait été le créateur sur la scène (1931), une Guerre des valses de Ludwig Berger, dont la partition utilisait adroitement des pages des Strauss et de Josef Lanner (1933), un Schuberts Frühlingstraum (1931) de Richard Oswald, où l'on peut peut-être voir comme une amorce de La symphonie inachevée. Le plus original de cette importante production (37 films musicaux sur les 127 films qui sortirent en 1930 des studios allemands) fut certainement les deux films de Gustaf Gründgens : Le revizor (1932) d'après Gogol (devenu, avec une partition de Mischa Spoliansky et Willy Gentner-Schmidt Eine Stadt steht Kopf); et Les finances du grand-duc (1933) d'après un roman de Franz Heller, musique de Theo Mackeben, où il y a des intentions satiriques.

L'opérette n'avait pas détourné complètement la UFA de la production de sujets moins légers. Ce fut heureux pour Josef von Sternberg qui, dès son arrivée de Hollywood [1], vint lui offrir ses services et qu'elle engagea pour commencer, avec sa vedette Emil Jannings, la mise à l'écran d'un roman de Heinrich Mann : Der Professor Unrath, sombre histoire contant la déchéance d'un grave professeur tombé entre les jolies griffes d'une chanteuse de boîte de nuit. Il y avait là tout ce qu'il fallait pour fournir à Emil Jannings un rôle aussi avantageux que celui du Dernier des hommes. Le professeur Unrath devint L'ange bleu. Par un de ces

les débuts de Marlene Dietrich

« C'est Sternberg qui m'a découverte » a dit Marlene Dietrich, longtemps après L'ange bleu (pages suivantes).

[1] En 1929. Cf. pp. 83-84.

décalages imprévus, comme il s'en produit souvent dans l'œuvre cinématographique, entre le scénario et la projection de la bande, ce film mit en valeur non Emil Jannings mais la quasi débutante Marlene Dietrich. Celle-ci, en effet, n'avait jusqu'alors paru que dans de petits rôles. La critique reconnut qu'elle faisait la valeur du film et salua en elle « une femme extraordinaire ». Lorsque Sternberg l'eut emmenée avec lui à Hollywood, elle devint pour un temps l'une des deux plus grandes stars du cinéma américain, l'autre étant Greta Garbo. Avec le temps, bien des réserves ont été faites sur la valeur de L'ange bleu. Le film de Stern-

berg n'en reste pas moins une date dans l'histoire du cinéma allemand et même du cinéma universel.

L'ange bleu est resté le plus célèbre des films de la première période du cinéma parlant en Allemagne, ce qui ne veut pas dire que celui-ci manquait d'hommes de talent. Bien au contraire, certains de ceux qui avaient contribué à lui donner une personnalité du temps du muet étaient toujours en activité. Tout d'abord Fritz Lang qui, ayant prudemment attendu la fin des tâtonnements, entreprit M (Le maudit) dont sa femme, Thea von Harbou, lui avait fourni le scénario. C'était, à peine romancée, l'histoire du « vampire de Dusseldorf » dont les exploits avaient, pendant des semaines, empêché la Westphalie de dormir. C'était du film policier, du grand-guignol, du suspense à la Hitchcock avant la lettre, c'était surtout du cinéma sonore et du meilleur : le criminel sentait-il monter en lui, irrésistible, le besoin de tuer, il se mettait à siffloter.

Et puis, il y avait l'interprétation de Peter

Fritz Lang et G. W. Pabst

M de Fritz Lang (1931). A droite : le maniaque (Peter Lorre) et sa victime. — Ci-dessous : le tribunal de la pègre.

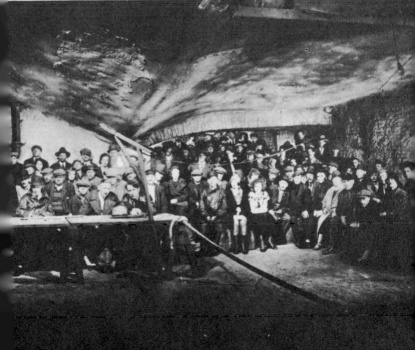

Lorre, avec sa face lunaire de gosse vicieux, ses façons de se pétrir les mains que l'on devinait moites de sueur.

Fritz Lang fit encore Le testament du docteur Mabuse **(1933)** qui est loin d'avoir la même valeur. Ce film ayant été interdit par la censure, Fritz Lang, qui supportait mal le régime, partit pour la France puis gagna les États-Unis [1].

Ce fut aussi le cas de G. W. Pabst [1] qui, avant son départ, fit deux films, œuvres marquantes de l'art cinématographique : Westfront 1918 (Quatre de l'infanterie) et Dreigroschenoper (L'opéra de quat'sous). Le premier de ces deux films, tiré d'un roman d'Ernst Johansen, est la seule œuvre de l'écran qui, entre le Verdun, visions d'histoire de Léon Poirier et A l'ouest rien de nouveau de Lewis Milestone, donne de la guerre une image exacte. Plus noir encore que les deux autres, c'est une accumulation de tout ce qui peut rendre la

Haïssable et inutile : la guerre vue par G. W. Pabst dans **Quatre de l'infanterie** (1930).

« On ne peut pas vivre et rester honnête » proclame **L'opéra de quat'sous** (1931), d'après Brecht, qui toutefois ne jugea pas l'adaptation de Pabst suffisamment incisive.

guerre haïssable; on ne quittait la mort dans la tranchée que pour la retrouver dans une salle d'hôpital : pas une lueur d'espoir. Pabst ne s'est probablement nulle part montré plus grand homme de cinéma qu'ici L'opéra de quat'sous est d'un tout autre genre, mais d'un esprit non moins anticonformiste. Tiré d'une pièce de Bertolt Brecht, adaptation elle-même d'une vieille pièce de John Gay : The Beggar's Opera, c'est une satire, pleine de virulence et de verve, de la société anglaise à l'époque victorienne. La musique de Kurt Weill lui donne une saveur de haut goût. Le film fut réalisé simultanément en deux versions; la française réunit Florelle, Albert Préjean, Gaston Modot et Margo Lion; l'allemande Carola Neher, Rudolf Forster et Fritz Rasp. On peut encore inscrire à l'actif de Pabst Kameradschaft (La tragédie de la mine, 1932) qui montrait la solidarité des mineurs allemands et des mineurs français, ceux-là accourant au secours de ceux-ci lors de la catastrophe de Courrières qui avait fait des centaines de victimes en 1906 : intentions généreuses, qui ne suffirent pas à élever le film à la hauteur de Quatre de l'infanterie et de L'Opéra de quat'sous.
Des autres grands de la grande époque muette, il n'y a pas grand-chose à dire, Lupu-Pick étant mort en 1931 et E. A. Dupont, après avoir travaillé en Angleterre [2], n'ayant fait que de

[1] Cf. pp. 140, 248, 291 et vol. 3. — [2] Cf. p. 174.

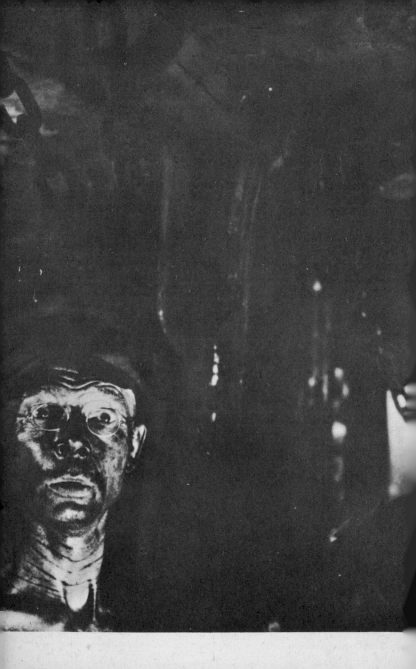

La tragédie de la mine (1931) inspire à Pabst un appel à la solidarité internationale.

Théâtre filmé à l'allemande : **La cruche cassée** de Gustav Ucicky, d'après Heinrich von Kleist, avec Emil Jannings.

courts passages dans les studios allemands pour des films comme Salto mortale, qui ne réussit pas à être un nouveau Variétés. Quant à Robert Wiene, à la naissance du parlant, il se survivait à lui-même. Pourtant, il n'arrêtait guère de travailler, mais de son importante production, c'est tout juste si on peut retenir Der Andere, d'après la pièce de Paul Lindau, qui connut un grand succès en France, sous le titre Le procureur Hallers.

Les écrans ne manquaient pourtant pas de films de qualité. C'est ainsi qu'un homme comme Kurt Bernhardt leur donna des films qui ne se contentaient pas de chercher à distraire. La dernière compagnie, avec Conrad Veidt (1930), exalte le patriotisme sous la forme d'un épisode de la lutte contre Napoléon Ier; pour la première fois, les spectateurs avaient l'impression, la bataille étant finie, d'entendre le silence. Le tunnel (1933) montre l'action que peut exercer un chef sur une équipe d'ouvriers. Était-ce un appel déguisé à la dictature? On l'a dit. Mais Kurt Bernhardt n'attendit pas de savoir comment l'avenir réglerait cette question de la dictature. Il partit

réussites diverses

Entrain d'une interprétation juvénile dans **Emile et les détectives** de Gerhard Lamprecht

pour l'Angleterre. Ce que fît aussi le Dr. Paul Czinner [1], après avoir filmé le roman de Claude Anet Ariane, jeune fille russe qui procura un beau rôle à sa femme Elisabeth Bergner, remplacée dans la version française par Gaby Morlay. C'est encore à une œuvre française, Le colonel Chabert de Balzac, devenu Mensch ohne Namen (L'homme sans nom), avec, dans le rôle principal Werner Krauss (version allemande) et Firmin Gémier (version française), que Gustav Ucicky dut le meilleur de sa production. Elle comprend encore La cruche cassée, d'après la comédie de Heinrich von Kleist, qui fut, a-t-on dit, «le premier film allemand cent pour cent théâtre». De son côté, Gerhard Lamprecht dotait le cinéma allemand d'un film assez exceptionnel : Émile et les détectives (1931), au générique duquel apparaît un nom destiné à devenir célèbre en Amérique, celui de Billy Wilder [2] qui en avait écrit le scénario d'après un roman d'Erich Kästner. C'est une œuvre charmante, pleine d'entrain et de bonne humeur. A l'intérêt d'une intrigue policière, elle joint l'attrait d'une interprétation enfantine, entourant Fritz Rasp, et celui d'une pittoresque chasse au voleur

[1] Cf. p. 181.
[2] Cf. pp. 276 et 283.

dans les rues de Berlin. Lamprecht ne retrouva un tel succès ni dans la Madame Bovary qu'il fit pour Pola Negri ni dans Le joueur d'après Dostoïevski, qui fut interdit par la censure. Ce sont aussi des films assez exceptionnels que La chanson de la vie et Les treize malles de M.O.F. que réalisa en 1931 Alexis Granowsky, directeur du Théâtre juif de Moscou, disciple de Meyerhold. Après avoir réalisé à Kiev plusieurs films de mœurs juives, il vint travailler à Berlin auprès de Max Reinhardt; puis il lâcha le théâtre pour le cinéma. Dans La chanson de la vie, Granowsky prétendait tirer toute une philosophie de la vie du simple récit de la vie d'une jeune femme à qui il n'arrive rien que de banal. Les épisodes sordides, désespérants, s'y mêlaient à des tableaux montrant que la vie mérite pourtant d'être vécue. Ce film étrange, où traînaient des restes du vieil expressionnisme, plut à un public ayant traditionnellement du goût pour les abstractions philosophiques, succès auquel ne fut pas étranger l'interprétation d'Aribert Mog et surtout de Margo Ferra. A ce film insolite en succéda un autre non moins insolite, mais d'un genre tout différent : Les treize malles de M.O.F., sorte de conte de fées moderne, mâtiné de « canular » à la façon des Copains de Jules Romains. Le point de départ en est l'arrivée dans un modeste hôtel provincial de treize malles de grand luxe, accompagnées d'un télégramme annonçant que leur propriétaire ne tarderait pas à se présenter. Dès lors tout se déroule avec une imperturbable logique et la petite ville s'en trouve révolutionnée. Cet humour, bien plus anglo-saxon que germanique, était bien servi par une interprétation, originale elle aussi, réunissant Alfred Abel, Peter Lorre, Bernhard Gœtzke, Heddy Kiesler et Margo Lion. Sur ce succès, Granowsky partit pour Paris [1].

On doit encore faire ici une place à un film féminin : Jeunes filles en uniforme (1931) de Léontine Sagan; il mérite d'autant plus d'être rappelé que le cinéma allemand ne peut inscrire que de rares noms de femmes sur la liste de ses metteurs en scène. Nous avons dit de Lotte Reiniger ce qu'il y a à en dire pour la période muette [2]. Elle avait continué à créer des films d'ombres : Harlequin, Papageno, où elle faisait fort heureusement collaborer la musique et le dessin; puis, après une Galathea,

---

[1] Cf. p. 140. — [2] Cf. vol. 1.

elle partit, comme tant d'autres, en 1935, et alla travailler en Angleterre.

Tiré d'une comédie de Christa Winsløe, l'action de Jeunes filles en uniforme se déroule dans un lycée féminin et le sujet, délicat entre tous, en est l'influence prise par une trop charmante maîtresse sur ses élèves et l'affection passionnée à laquelle celles-ci se laissent aller; affection qui, pour l'une d'entre elles, va jusqu'au seuil du suicide. On a prononcé à propos de ce film le mot « chef-d'œuvre ». Chef-d'œuvre de tact en tout cas : tout ce qu'il y a de trouble dans les rapports entre maîtresse et élèves se laisse deviner sans jamais devenir gênant. Le succès du film, admirablement interprété par Dorothea Wieck (la maîtresse) et Hertha Thiele (la petite fille trop sensible et trop imaginative) suscita la production de nombre de films consacrés à la jeunesse, dont Anna et Elisabeth de Frank Wysbar (1933) où se retrouvèrent Hertha Thiele et Dorothea Wieck. Mais les studios berlinois ne donnèrent pas naissance à un second Jeunes filles en uniforme.

Ici le mot « chef-d'œuvre » peut être prononcé sans hésitation ni restriction. Tiré par le Sarrois Max Ophüls d'une comédie, vieille d'une quarantaine d'années, de l'écrivain viennois Arthur Schnitzler, Liebelei parut sur les écrans berlinois en mars 1933. Dans sa forme théâtrale, c'était l'histoire d'une amourette entre un bel officier et une fille du peuple. Dans la version cinématographique, tout ce qui marquait les différences sociales entre les deux héros de l'affaire avait été gommé, ainsi que tout ce qui aurait pu rendre le séducteur antipathique. L'amourette était devenue un grand amour partagé que, seule, la vie séparait. C'était le triomphe de la Gemütlichkeit, et rien n'était plus gemütlich que l'interprétation réunissant Gustaf Gründgens, Willy Eichberger, Olga Tchekowa, Luise Ulrich entourant Magda Schneider, dans l'intimité de qui on avait l'impression d'être admis : l'écran n'avait pas encore connu de comédienne d'une aussi simple humanité. Liebelei occupe dans l'histoire du cinéma allemand une place qui dépasse singulièrement celle d'un bon et même d'un grand film, car son succès engendra toute une série de films qui, valant par la gentillesse avec laquelle les sentiments y étaient exprimés et par la simplicité de leur interprétation, constituent une sorte d'école intimiste, d'inspi-

En page 160 : Jeunes filles en uniforme (1931) de Léontine Sagan, peinture vraie de la vie de collège.

Max Ophüls et « Liebelei »

Des meetings ouvriers aux bureaux de chômage : **Kuhle Wampe** (1932) de S. T. Dudow.

ration peut-être plus viennoise que berlinoise, et dont le mérite est d'autant plus digne d'attention que l'époque n'était pas à la gentillesse [1].

cinéma et nazisme

Dès son arrivée au pouvoir, Hitler, qui aimait le cinéma, s'en était occupé afin de le faire servir à ses ambitions. Le Dr. Gœbbels avait déclaré que « le cinéma allemand devait être engendré par le caractère national » et que « dans le film comme ailleurs on doit admettre les idées fondamentales du gouvernement national ». En vertu de quoi, il avait commencé par interdire l'exploitation d'un film de Slatan Th. Dudow et Bertolt Brecht : Kuhle Wampe, dont la conclusion communiste était : « Qui changera le monde ? — Ceux à qui il ne plaît pas! »

Puis Gœbbels centralisa l'industrie et le commerce du film, éliminant de la direction

[1] Cf. p. 167.

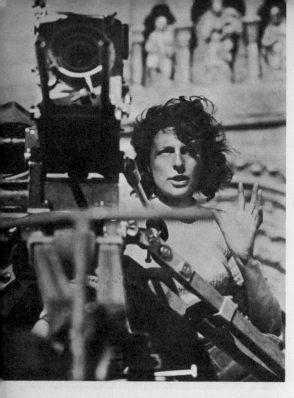

Leni Riefenstahl, ordonnatrice des fastes du troisième Reich.

de la **UFA** le grand industriel Hugenberg qui en avait été l'âme et lui substituant un comité présidé par Carl Frœlich, pendant qu'Emil Jannings présidait le comité de la Tobis Klangfilm. Dès lors naquirent des films de propagande en tout genre. Gœbbels n'avait-il pas déclaré qu'il lui fallait des Cuirassé Potemkine? Ces films n'ont aucune valeur. Leur seul intérêt réside dans les intentions qui y étaient ouvertement affichées. C'est ainsi que Johannes **Häussler**, dans Blutendes Deutschland (L'Allemagne qui saigne), résumait l'histoire de l'Allemagne depuis la proclamation de l'Empire à Versailles en 1871 jusqu'à l'arrivée de Hitler au pouvoir, premier pas vers un retour du pays à sa grandeur passée. C'est encore ainsi que naissaient simultanément trois films ayant pour héros un jeune hitlérien victime des communistes, S. A. Mann Brand de **Franz Seitz**, Hitlerjunge Quex de **Hans Steinhoff** et Hans Westmar de **Franz Wenzler**,

à la gloire du poète Horst Wessel qui allait
donner son nom à l'hymne officiel du parti :
œuvres, comme beaucoup d'autres, de propagande si grossière qu'elles n'atteignaient pas
toujours leur but.

**Leni
Riefenstahl**

A la veille de l'arrivée de Hitler au pouvoir,
Leni Riefenstahl venait de connaître un beau
succès avec Das blaue Licht (La lumière bleue),
un film de montagne, frère de ceux qui avaient
marqué ses débuts sous la direction du
Dr. Arnold Fanck [1]. Cette fois, elle était seule
à porter la responsabilité du film, dont elle
était la réalisatrice, la productrice et la vedette.
Ce succès lui avait ouvert les yeux sur ses
capacités. De cette prise de conscience
naquirent deux films de caractère documentaire : Triumph des Willens (Le triomphe de
la volonté, 1934) et Olympiad (Les dieux du
stade, 1937). Le premier relatait les fastes
du congrès que le parti tenait chaque année
à Nuremberg. Défilés de SS et de SA en
masses profondes, au milieu de foules
délirantes, c'était une sorte de féerie wagné-
rienne dans un Walhala populaire dont l'exal-
tation pouvait choquer mais dont la grandeur
n'était pas niable. Cette fois, le Dr. Gœbbels
pouvait être satisfait. Il devait l'être encore
plus avec Olympiad, reportage disposant de
moyens considérables, sur les Jeux olympiques
de Berlin en 1936. C'était un document dont
la rigueur ne faisait pas tort à la beauté, non
plus qu'à l'apologie du régime, et dont la
valeur cinématographique ne pouvait faire
l'objet de la moindre réserve. On le vit bien
à la Biennale de Venise de 1938, où la coupe
Mussolini — la plus haute récompense de
la compétition — lui fut attribuée [2]. Leni
Riefenstahl y fut saluée comme l'égale de
ceux qui avaient donné à l'art cinématographique ses titres de noblesse; sans doute
les deux films de Leni Riefenstahl sont-ils ce
que le cinéma allemand a fait de mieux sous
le régime hitlérien.

Autriche

Il n'y a jamais eu de barrière très nette entre
l'activité des studios allemands et celle des
studios autrichiens. Il y en eut moins que
jamais au cours des années trente qui virent
la production autrichienne ne donner aux
écrans nationaux qu'une dizaine de films par
an, alors qu'ils en recevaient près de 150 arrivant
d'Allemagne.

Plus encore qu'en Allemagne, la musique

[1] Cf. vol. 1.
[2] Cf. p. 171.

régnait sur les studios viennois. Pourtant, le premier film tourné sur les bords du Danube, Madame Barbe-Bleue de Robert Wiene, n'avait pas été un film chantant mais un film parlant, dont la vedette était l'excellente comédienne Lil Dagover (1930). Mais en 1932, sur 7 films, 3 étaient musicaux; en 1933, 4 sur 5; il en fut de même pour les années suivantes, si bien que pour les huit années allant jusqu'à la guerre, il y eut 35 films musicaux sur 71, autant dire la moitié. La plupart n'avaient d'autre ambition que de faire passer une heure agréable. Citons pourtant Zauber der Bohème de Geza von Bolvary d'après l'œuvre de Puccini; Eva de Johannes Riemann d'après Franz Lehar; Frühlingstimmen de Paul Fejos (musique de Johann et d'Oskar Strauss), seule incursion dans le domaine musical de l'auteur de Solitude, qui partit ensuite pour le Danemark.

De cette floraison d'œuvres pimpantes émerge l'œuvre maîtresse du cinéma autrichien : Leise flehen meine Lieder, que les écrans du monde entier ont accueilli sous le titre : La symphonie inachevée.

L'auteur de La Symphonie inachevée est un Viennois, Willi Forst. Après avoir été acteur dans nombre de films, il était passé de l'autre côté de la caméra et avait entrepris de porter à l'écran un épisode de la vie de Franz Schubert, qui expliquait pourquoi la fameuse symphonie était restée inachevée. Le public ne vit là qu'une belle et fort attendrissante histoire d'amour et cette histoire, sans grands éclats à la Werther, était contée en belles images, auxquelles l'Orchestre philharmonique de Vienne apportait le commentaire musical indispensable. Il y avait là quelque chose de nouveau, de frais et en même temps de profondément humain, que l'interprétation de Hans Jaray et surtout de Martha Eggerth rendait fort émouvant. La symphonie inachevée a droit à une place à côté de Liebelei : le cinéma d'inspiration viennoise avait trouvé en Magda Schneider et en Martha Eggerth les femmes dont il avait besoin pour exprimer cette Gemütlichkeit sans laquelle Vienne ne serait pas tout à fait Vienne. Pourtant cette affirmation ne prend toute sa signification que si, à ces noms, on en ajoute un troisième, celui de Paula Wessely qui, dans Maskarade du même Willi Forst, composa une aimable et touchante figure de femme. Jamais le cinéma n'avait, comme ici, été justifié de faire des films pour des vedettes. Mais ces trois femmes n'étaient-elles pas mieux que des vedettes au sens conventionnel du mot? Ce qui est certain, c'est que, s'il y a dans la production germanique des années précédant immédiatement la seconde guerre quelque chose qui puisse faire figure d'école, c'est dans les films du genre Liebelei, Symphonie inachevée, Maskarade qu'on le trouve.

de la musique à la comédie

Si riche qu'ait été la production de films musicaux, les studios autrichiens ne dédaignaient pourtant pas le genre de la comédie. Willi Forst avait donné à sa Symphonie inachevée des demi-frères avec de nombreuses comédies dont les meilleures sont Burgtheater, excellente peinture des mœurs théâtrales, et Allotria (1935), tourné dans les studios de la UFA, joyeuse comédie de mœurs où Forst reprit quelques-uns des effets cinématographiques que Jacques Feyder avait imaginés pour Crainquebille.
Dans le sillage de Willi Forst, on peut placer Geza von Bolvary, avec Die Julika et Première, dont l'intrigue policière se situe dans le monde du théâtre; Viktor Janson avec Rendez-vous à Vienne et Richard Eichberg avec Früchtchen

Burgtheater (1936) de Willi Forst, avec Werner Krauss et Olga Tchekowa, hommage de l'écran à la scène.

d'après Le fruit vert de Théry et Gignoux;
Otto Preminger avec Die grosse Liebe, film
de débutant laissant voir une assurance de
vétéran; Herman Kosterlitz avec Marie
Bashkirtchef, sujet difficile traité avec délicatesse; Walter Reisch avec Episode, amusante
reconstitution de l'époque 1920.

Quand le cinéma s'était mis à parler, le régime
fasciste était déjà solidement installé en
Italie. Mussolini, qui n'aimait pas moins le
cinéma que Hitler, en avait fait un de ses
moyens d'action favoris. Pourtant, ses efforts
pour lui rendre la prospérité n'avaient pas
obtenu tout le succès espéré. D'autre part,
Stefano Pittaluga, qui l'avait le plus activement
aidé, était mort prématurément en 1931. La
situation ne s'améliorait pas et le Bulletin
de la Foire de Milan la résumait ainsi :
« L'industrie du cinéma souffre chez nous
de trois maux : manque de public, manque
de production, manque de niveau artistique. »
Le gouvernement créa alors une Direction
générale du cinéma au ministère de la Presse
et de la Propagande, dont le titulaire était le
comte Galeazzo Ciano, gendre du Duce. Puis
fut constitué l'Institut national des industries
cinématographiques qui servait de truchement
entre l'État et la corporation. Ainsi étaient
sauvegardées certaines apparences d'indépendance qui, en fait, ne trompaient personne :
le cinéma italien était bel et bien étatisé, comme
le cinéma allemand. Il va sans dire que l'Institut
Luce [1] était, lui aussi, sous la coupe de la
Direction générale, qui lui donna encore plus
d'importance en lui confiant la confection des
actualités et de tous les films ayant trait à la
propagande. La première conséquence de cette
étatisation fut la fondation de Cinecittà.

Cinecittà, c'était Hollywood aux portes de
Rome : 600 000 m² de studios avec tous leurs
services annexes. L'Italie allait avoir pour son
cinéma un instrument de travail à la hauteur
des ambitions de ses maîtres. Ces ambitions,
Vittorio Mussolini, fils du Duce, représentant
plus particulièrement son père auprès du
cinéma, les regardait déjà comme des réalités,
comme le montre le discours qu'il prononça
à l'inauguration de Cinecittà : « ...Des milliers
de personnes trouveront ici du travail... On
supprimera pas mal de préjugés, on donnera
le maximum de liberté aux idées artistiques,
on découvrira de nouveaux acteurs et de

**Italie :
faisceaux
et caméras**

**de Cinecittà
à Venise**

[1] Cf. vol. 1.

Un grand homme de théâtre qui a inspiré de nombreux cinéastes : Luigi Pirandello.

belles vedettes, le metteur en scène sera presque toujours le metteur en scène et non pas l'électricien ou la dactylo, la critique œuvrera avec conscience, le public affluera dans les salles où l'on projettera les nouveaux films italiens et, en sortant, il s'écriera : Enfin! Nous pouvons garder la tête haute! ».

Une autre conséquence de l'importance prise par le cinéma dans la vie officielle du pays fut la fondation en 1932 de la Mostra de Venise, dans le cadre de la Biennale, par le comte Volpi di Misurata, personnalité importante du régime. Primitivement, ce festival n'eut lieu qu'une année sur deux, comme l'exposition d'arts plastiques. L'idée en était bonne : neuf pays producteurs de films avaient répondu à l'appel vénitien et le cinéma prit si nettement le pas sur les autres arts dans la faveur du public que, dès 1935, la Mostra, décida-t-on, deviendrait annuelle. Le cinéma italien en reçut un renouveau de prestige, sinon de prospérité; encore que la production, tombée en 1931 à douze films eût atteint trente-trois films en 1938.

Luigi Pirandello

D'un tout autre genre, mais non moins précieuse pour son prestige, fut la collaboration que Luigi Pirandello apporta au cinéma italien en mettant au générique de nombreux films un nom que ses succès sur toutes les scènes de l'univers avaient paré d'une gloire alors sans rivale. Du temps du muet déjà, Pirandello avait accordé à des cinéastes comme Righelli, Camerini, Marcel L'Herbier le droit de porter à l'écran telle et telle de ses œuvres. Avec son Henri IV, il avait même fourni à Conrad Veidt, dirigé par Amleto Palermi, une de ses plus magistrales interprétations (1926). Mais ce fut seulement quand le cinéma eut reçu l'usage de la parole que, comme beaucoup d'écrivains, il s'y intéressa vraiment. Pièces, nouvelles, contes fournirent des sujets de films à des hommes comme Gennaro Righelli (Canzone dell'amore, Pensaci Giacomino, modèle parfait de théâtre filmé), Mario Camerini (Ma non è una cosa seria), Pierre Chenal (L'homme de nulle part — dont Marcel L'Herbier avait déjà fait Feu Mathias Pascal —, brillante coproduction italo-française dont les vedettes étaient pour les deux versions Pierre Blanchar et Isa Miranda). Il fournit même le scénario de L'acier à Walter Ruttmann, tandis que sa comédie Come tu mi vuoi était filmée à Hollywood par George Fitzmaurice [1]. Pirandello connaissait la même faveur auprès des producteurs de films qu'auprès des directeurs de théâtre.

histoire et propagande

Sous la coupe de l'État, le cinéma italien consacrait la plus grande part de son activité à la production de films de propagande. Le plus important de ces innombrables films est incontestablement Scipion l'Africain (1937) dont la réalisation avait été confiée à l'un des meilleurs vétérans des studios italiens : Carmine Gallone. Après avoir travaillé pendant plusieurs années à Berlin et à Paris, il avait fini par regagner sa patrie. Il s'agissait d'une reconstitution de la grandeur romaine à l'époque des guerres puniques. Jamais, depuis Cabiria, on n'avait vu de si nombreux figurants — fournis par l'armée — ni de si gigantesques décors, ni des batailles si tumultueuses; devant l'ampleur quelque peu pesante de cette mise en scène, le spectateur avait l'impression que, si on lui montrait autant d'éléphants, c'était pour lui faire comprendre que le régime était capable d'aligner encore plus de canons de gros calibre. Comprenant Carlo Ninchi (Scipion), Camillo Pilotto (Annibal) et Isa Miranda, l'interprétation était de qualité. Ce fut un très grand succès populaire, que consacra officiellement au festival de Venise l'attribution

[1] Cf. p. 80.

de la récompense majeure : la coupe Mussolini!
L'autre vétéran du cinéma italien, Augusto
Genina, revenu lui aussi mettre son talent
au service de son pays, participa à cette activité
de propagande avec deux films très différents :
Squadrone bianco et Les cadets de l'Alcazar.
Du roman de Joseph Peyré L'escadron blanc,
à la gloire des méharistes français, était né
un film à la gloire des méharistes italiens de
Libye. Film d'une émouvante simplicité, qui
n'était pas sans rappeler La patrouille perdue
de John Ford. Quant aux Cadets de l'Alcazar,
c'était la mise à l'écran d'un des épisodes
les plus spectaculaires de la guerre civile
espagnole. Tout y respire l'héroïsme, mais
on ne peut que regretter que ce film n'ait pas
la rigueur de L'espoir, et qu'il sente trop la
reconstitution.
Film de propagande encore, Luciano Serra
pilota de Goffredo Alessandrini sur un
scénario de Roberto Rossellini, à la gloire de
l'aviation italienne. Réalisé en grande partie
en Éthiopie, avec Amedeo Nazzari comme
vedette, ce film ne se distinguerait en rien de
bien d'autres si Vittorio Mussolini n'en avait
été le superviseur, ce qui lui valut de partager
la coupe Mussolini avec le film de Leni
Riefenstahl Olympiad au festival de Venise
de 1938.
A ce domaine de la propagande appartiennent
encore les films où s'expriment les ambitions
coloniales du régime : Sentinelle di bronzo
de Romolo Marcellini, dont l'action se déroule
en Somalie; Abuna Massias où Goffredo
Alessandrini conte l'histoire d'un missionnaire
qui entreprend de convertir au catholicisme
les populations coptes d'Éthiopie (1930); Sotto
la Croce del Sud de Guido Brignone; Il grande
appello de Mario Camerini; surtout Camicia
nera (Chemise noire) de Giovacchino Forzano,
histoire d'un jeune soldat qui, resté prisonnier
en Allemagne pendant quinze ans, revient
dans son village au cœur des Marais pontins,
pour trouver le pays complètement transformé
par l'action du Duce : propagande ingénue
qui ne connut pas un grand succès. Forzano
ne se découragea pas et remit son nom au
générique de plusieurs films comme Villafranca,
évocation de l'intervention de la France dans
la guerre de 1859, vue sous l'angle des reven-
dications fascistes, ou Campo di maio,
adaptation d'une pièce écrite en collaboration
avec Mussolini, tournée en deux versions,
Werner Krauss étant Napoléon Ier dans la

version allemande et Corrado Racca — de bien curieuse façon — dans la version italienne. Ce n'est là qu'un tableau indicatif, dont ne doivent pas être exclus les documentaires et courts métrages dont quelques-uns méritent quelque attention, tels Les pins de Rome et Les fontaines de Rome que les célèbres pages symphoniques de Respighi.inspirèrent à Mario Costa, Forums impériaux d'Aldo Vergano ou Le musée de l'amour de Mario Baffico.

Gallone,
Brignone,
Bonnard

Si grande que soit la place des films de propagande, les producteurs ne pouvaient pas s'en contenter et ils avaient continué à donner à leur clientèle les films dont celle-ci ne pouvait pas se passer. Aussi voit-on Carmine Gallone porter à l'écran l'opéra de Bellini Casta diva, avec Martha Eggerth, et une vie de Verdi : Le roman d'un génie (1938), importante coproduction italo-française dont l'interprétation réunissait Fosco Giachetti, Gaby Morlay, Henri Rollan (Victor Hugo), Gabriel Gabrio (Balzac) et Pierre Brasseur (Alexandre Dumas fils); la partie chantée en était assurée par Maria Cebotari et Beniamino Gigli.

De son côté, Guido Brignone avait ajouté à son important bagage un Lorenzino de' Medici, où le grand acteur allemand Alexander Moissi faisait une de ses rares apparitions sur les écrans, et Le passeport rouge, qui montrait avec beaucoup d'émotion le triste sort des Italiens réduits à l'émigration. Isa Miranda y confirmait sa réputation, que vint consacrer un engagement à Hollywood où elle fut la vedette d'un film de Robert Florey : Hôtel Impérial. Du Passeport rouge, Guido Brignone se plaît à dire qu'il est son meilleur film.

Quant à Mario Bonnard, parmi nombre de films comme Fra Diavolo, d'après l'opéra-comique d'Auber, avec le ténor Tino Patiera, et Trois hommes en habit, où le chanteur Tito Schipa se montra excellent comédien, il faut faire un sort particulier à Jeanne Doré, adaptation de la pièce de Tristan Bernard, qui doit être rappelée pour l'interprétation de la grande comédienne Emma Gramatica, qui prenait la succession de Sarah Bernhardt.

Camerini,
Blasetti
et la jeune
génération

Et voici les représentants d'une nouvelle génération : Mario Camerini, en 1932, trouva dans Les hommes, quels mufles! un de ses plus grands succès, qui fit de lui un chef d'école. Certains des personnages de ce film semblent sortis du répertoire de René

L'acteur allemand Alexander Moïssi fut **Lorenzino de' Medici** pour Guido Brignone.

Clair, tout particulièrement un conducteur de taxi que campait avec beaucoup d'esprit Vittorio De Sica. Les films qui suivirent ne furent pas de la même veine, mais cette veine, Camerini la retrouva en 1938 pour Grandi magazzini, avec Vittorio De Sica et Assia Noris.

De la même génération que Mario Camerini, Alessandro Blasetti, fortement influencé par les films russes, débuta avec une bonne adaptation du roman de Léon Tolstoï Résurrection; puis il composa de belles images de nature dans Terra madre. Goffredo Alessandrini, avant de travailler pour la propagande, avait composé de solides tableaux de mœurs : Seconda B, visiblement désireux de concurrencer Jeunes filles en uniforme et Cavalleria, peinture de la haute société romaine, où débuta fort modestement Anna Magnani. Francesco Pasinetti consacra son premier film, Il canale degli angeli, à célébrer les beautés de Venise, sa ville natale. C'est autour d'eux qu'après la période trouble de la guerre, se grouperont les jeunes talents qui permettront au cinéma italien de tirer profit de sa liberté retrouvée.

Profitant de la supériorité que leur donnait leur équipement, les studios anglais avaient pu commencer à produire des films parlants dès la fin de 1929. Le premier véritablement important fut Atlantic de E. A. Dupont, qui travaillait en Angleterre depuis 1928. Tiré d'une pièce d'Ernest Raymond inspirée par le naufrage du Titanic, ses péripéties avaient un caractère très spectaculaire, dont Dupont tira remarquablement parti. Atlantic comporta trois versions : anglaise, allemande et française. Les deux premières eurent pour vedette Fritz Kortner, que remplaça Desjardins dans la version française dirigée par Jean Kemm. Ce fut partout un très gros succès, dont Dupont profita pour faire encore deux films en Angleterre, où d'autres Allemands, notamment Richard Eichberg, eurent en 1930 et 1931 une activité assez heureuse, ainsi que le Hongrois Alexandre Esway et plusieurs Américains, dont Monty Banks.

Pendant ce temps, la chambre des Communes, qui avait déjà montré que le cinéma ne la laissait pas indifférente, renforçait les mesures protectionnistes en faveur des films nationaux, car les grandes compagnies américaines se montraient de plus en plus envahissantes : 80 % des films projetés en Angleterre et 90 % de ceux qu'accueillaient les Dominions étaient d'origine américaine. Ce fut la censure qui se chargea de remédier à cet état de choses en ne donnant son visa, en 1931, qu'à 305 films sur les 1947 qu'elle avait eus à examiner. Ce n'était pas suffisant. Ce qu'il fallait, c'était produire des films nationaux qui pussent affronter avantageusement la concurrence américaine. Alors, en 1932, le cinéma anglais reçut l'injection de sang nouveau et fort qui allait le ranimer. Ce sang neuf, ce fut un Hongrois, Alexander Korda, qui le lui apporta.

Après de modestes débuts à Budapest, Alexander Korda avait travaillé à Berlin, à Hollywood, à Paris [1], donnant partout des preuves de son intéressante personnalité. Sa collaboration à l'activité de la Paramount de Joinville l'avait laissé déçu et quelque peu amer, ce qui ne l'avait pas empêché d'accepter la proposition que cette société lui avait faite d'aller diriger à Londres la production des versions anglaises de ses films. Il ne fut pas long à se rendre compte de la situation : ce

[1] Cf. Cf. vol. 1 et vol. 2, p. 94.

174

qui manquait au cinéma anglais, c'était une grande société de production. Il la lui donna en février 1932. Ce fut la London Films, où il appela plusieurs de ses compatriotes et l'Italien Ludovico Tœplitz, qui avait été l'administrateur-délégué de la société Pittaluga. Il n'y avait d'Anglais à la London Films que son président George Grossmith, une des gloires des scènes londoniennes. Korda confia la distribution de ses films à la société United Artists avec droit de regard sur leur production. On ne peut rien imaginer de moins anglais, cinématographiquement parlant, que cette entreprise à laquelle le cinéma anglais allait devoir, des années durant, ceinture dorée et bonne renommée universelle.

« La vie privée d'Henry VIII » et Charles Laughton

Korda entreprit immédiatement un film important qui allait être un grand film. Souvenir de sa Vie privée d'Hélène de Troie, ce fut La vie privée d'Henry VIII. C'était, en une suite d'épisodes plutôt qu'en une action solidement nouée, un portrait haut en couleurs mais enveloppé d'un humour qui ne s'effritait que pour en laisser apparaître le côté rabelaisien. Entreprise audacieuse; mais l'audace, une fois de plus, paya. Grâce, pour une bonne part, à la composition que Charles Laughton fît du personnage, composition où la simplicité la plus bonhomme voisinait avec la truculence et la majesté. Non moins remarquables étaient Robert Donat, Binnie Barnes, Elsa Lanchester, Merle Oberon et la photographie de l'opérateur français Georges Périnal. A La vie privée d'Henry VIII succéda une Vie privée de Don Juan, adaptation très libre de la pièce d'Henri Bataille L'homme à la rose. Ici, plus de Charles Laughton mais Douglas Fairbanks, manifestation de l'accord London Films - United Artists. Puis Korda revint à Laughton pour un Rembrandt (1936) qui, justice étant rendue à Périnal et à ses admirables images en clair-obscur, dignes de l'auteur de la Ronde de nuit, ne vaut pas ses deux aînés. Ce fut le dernier film au générique duquel le nom d'Alexander Korda ait paru en tant que réalisateur : l'homme d'affaires avait étouffé en lui le cinéaste. Il ne fut plus désormais que l'animateur de la London Films.

Quant à Charles Laughton, il partagea son temps et son talent entre les studios anglais et ceux de Hollywood, s'associant même avec Erich Pommer, réfugié d'Allemagne, pour fonder une société de production, la

Mayflower Pictures Corporation, pour laquelle il interpréta deux des meilleurs films sortis des studios anglais : L'excentrique Ginger Ted de Tim Whelan, d'après un roman de Somerset Maugham, et La taverne de la Jamaïque d'Alfred Hitchcock; il y eut respectivement pour partenaires Elsa Lanchester et Maureen O'Hara (1937-1938).

En renonçant à être le metteur en scène numéro un de la London Films, Alexander Korda allait donner une plus grande importance à son frère Zoltan. Celui-ci avait déjà dirigé la réalisation de Sanders of the River (Bozambo) d'après un roman d'Edgar Wallace (1935); entièrement tourné au cœur de l'Afrique, avec le chanteur noir américain Paul Robeson,

Truculence et somptuosité : Charles Laughton et Binnie Barnes dans **La vie privée d'Henry VIII** (1932) d'Alexander Korda.

Korda eut moins de bonheur en réalisant **La vie privée de Don Juan** (1934), avec Douglas Fairbanks et Merle Oberon (ci-dessous).

Pages suivantes : **La taverne de la Jamaïque** (1939) d'Alfred Hitchcock, d'après Daphné du Maurier.

ce film apportait des images et une voix complètement inconnues. Son succès donna à
Alexander Korda l'idée de porter à l'écran
une des meilleures histoires du Livre de la
Jungle de Rudyard Kipling : Toomaï des
éléphants. Il entra en pourparlers avec Robert
Flaherty, mais celui-ci avait sur le travail
à fournir pour un tel film des idées si précises
que, comprenant qu'il ne pourrait les imposer,
il renonça — ce que l'on ne saurait assez
regretter. Ce fut Zoltan Korda qui signa le
film, devenu Elephant Boy, dont le succès

fut le début de la carrière du jeune Hindou Sabu. Dès lors, Zoltan Korda assuma la paternité de nombre de films de la London, dont le meilleur est sans doute The four Feathers (Les quatre plumes blanches) d'après un très populaire roman de A. E. W. Mason (1939).

Londres cosmopolite

Ayant fait une carrière cosmopolite, Alexander Korda ne pouvait pas ne pas ouvrir largement les portes de ses studios à des confrères étrangers. Le premier qu'il y accueillit fut le Dr. Paul Czinner : choix parfaitement justifié par la qualité des films qu'il avait faits en Allemagne et par le talent de son interprète habituelle, Elisabeth Bergner, qui était aussi Mme Czinner. Voulant donner une réplique à son Henry VIII, Korda confia au couple la réalisation d'une Catherine the Great (La grande Catherine) engageant, pour entourer Elisabeth Bergner, Douglas Fairbanks Jr et deux excellents comédiens anglais, Flora Robson et George Grossmith (1933). Le succès ne répondit à l'attente ni de Korda ni du ménage Czinner, qui alla travailler à la British and Dominions Films : Escape me never d'après une comédie de Margaret Kennedy, As you like it d'après Shakespeare (1936-1937). Puis, après A Stolen Life, Czinner partit pour les États-Unis (1939) emmenant Elisabeth Bergner qui y abandonna bientôt le cinéma pour se

L'Inde inspire le cinéma britannique. Ci-dessus : Sabu dans **Elephant Boy** (1937), commencé par Flaherty et terminé par Zoltan Korda, qui signera encore **Les quatre plumes blanches** (1939 — ci-contre et pages suivantes).

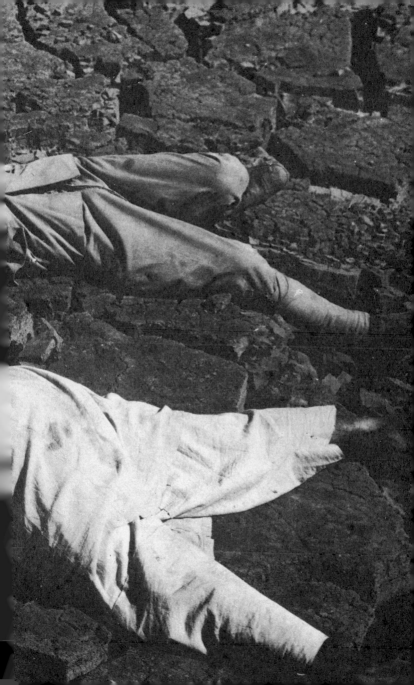

consacrer cette fois exclusivement au théâtre. Alexander Korda continua à recruter à l'étranger les concours dont il avait besoin.

René Clair fut engagé pour faire trois films. Il n'en fit qu'un : The Ghost goes West (Fantôme à vendre, 1935). C'est l'histoire — parue dans Punch sous la signature d'Eric Keown et adaptée par Robert Sherwood — d'un jeune seigneur écossais qui a été condamné à errer, après sa mort, dans le vieux château familial. Celui-ci est acheté deux siècles plus tard par un Américain qui le transporte pierre à pierre et le fait reconstruire de l'autre côté de l'Atlantique. Et voilà le fantôme jeté dans la vie américaine. Que René Clair se soit tiré à son honneur d'un sujet aussi spécifiquement anglais rend sa réussite — une de ses meilleures — tout particulièrement méritoire. Interprété par Robert Donat, Jean Parker, Elsa Lanchester, Eugene Pallette, le film fut présenté au Leicester Square Theatre de Londres, en présence de la reine Mary, et il obtint le Grand Prix du film britannique. Pourquoi, après cette réussite, René Clair ne fit-il pas les deux autres films prévus à son contrat? Mystère. Ce qui est certain, c'est qu'il reprit sa liberté. L'année n'était pas terminée qu'il signait avec Arthur Rank, et commençait Break the News (Fausses nouvelles) dont il avait pris le point de départ dans un film d'André Berthomieu et Carlo Rim : Le mort en fuite, d'après une nouvelle de Loïc Le Gouriadec. Maurice Chevalier, qui venait de faire à Londres Le vagabond bien-aimé, et Jack Buchanan en tiennent les deux rôles principaux.

Quant à Jacques Feyder, il fit pour Korda Le chevalier sans armure dont l'action se déroule dans le cadre de la révolution russe, et a pour vedette Marlene Dietrich. A la fin de ce film, l'auteur de La kermesse héroïque fait connaître ce qu'il pense de son interprète : « Marlene Dietrich a beaucoup de charme. Elle en use avec une étonnante virtuosité. Elle connaît admirablement son métier. Comme, naturellement, elle ne tourne que des films Marlene Dietrich, elle n'est préoccupée que d'une chose, c'est que le film reste bien un film Marlene Dietrich. » Il n'y a rien d'autre à dire du Chevalier sans armure.

La création par Alexander Korda de la London Films fut le coup de fouet qui réveilla tous ceux qui participaient à la vie hésitante des studios britanniques. En même temps, elle

Robert Donat dans
fantôme à vendre
(935), histoire écos-
aise qui se dénoue en
mérique et que René
lair tourna à Londres.

provoqua dans certains milieux, qui jusqu'alors
se détournaient des questions cinématographiques, un intérêt dont les heureux effets
se manifestèrent sous forme de nouvelles
sociétés, ce qui porta le nombre des films
produits à 222 en 1936 et à 225 en 1937.
Beaucoup de ces films, on doit le reconnaître,
n'avaient d'anglais que le nom. Afin de profiter
des avantages que l'administration accordait
aux films nés dans les studios anglais, nombre

de producteurs étrangers même de puissantes sociétés américaines, telles la Fox (studios de Wembley) et la Warner Bros (studios de Teddington) prirent alors une part importante dans l'activité cinématographique anglaise. Ceci revient à dire que la production de ces studios était très variée et que les films qui la composaient ne présentaient entre eux aucun caractère commun, susceptible de conférer au cinéma anglais une véritable personnalité.

Dans ses studios de Teddington, la Warner fit travailler Ralph Ince, William Beaudine dont plusieurs films eurent pour vedette un comique très populaire des scènes londoniennes : Will Hay, qui avait beaucoup vu Buster Keaton et surtout Monty Banks, et dont C'était son homme fit de Gracie Fields, la Mistinguett anglaise, une vedette de l'écran. A Wembley, la Fox utilisait les services d'Albert Parker et de Harold Schuster qui fit un grand film d'aviation : La baie du destin avec, dans les principaux rôles, Henry Fonda, venu de Hollywood, et Annabella. Soucieuses, elles aussi, d'utiliser les capitaux produits par l'exploitation de leurs films et qu'il leur était interdit de rapatrier, la Columbia et la Paramount organisèrent une production régulière. Pour la seconde, il faut signaler le remake d'un de ses grands succès : L'admirable Crichton, qui valut à Charles Laughton un de ses bons rôles. Tim Whelan, avec Le divorce de Lady X, dont Merle Oberon et Laurence Olivier étaient les vedettes, fit un des premiers essais de films anglais en couleurs. Victor Schertzinger fit un des meilleurs films musicaux anglais : The Mikado, d'après l'opérette de Gilbert et Sullivan. W. C. Menzies filma le roman d'anticipation de H. G. Wells La vie future. Herbert Brenon, après avoir mis son nom en tête d'un documentaire de montage, Royal Cavalcade, pour les vingt-cinq ans de règne de George V, fit un remake du Mystère de la villa rose. Avec Yellow Sands, il fournit à Marie Tempest, une des gloires de la scène anglaise, l'occasion d'une de ses rares apparitions sur les écrans.

L'apport allemand à la vie cinématographique anglaise ne fut guère moins important. On y relève tout d'abord le nom d'Erich Pommer qui, ayant constitué sa société personnelle de production, s'attaqua immédiatement à un grand sujet cher à tous les Anglais : la lutte à mort qui avait opposé la reine Elizabeth au roi d'Espagne Philippe II. Réalisé par l'Américain William K. Howard, Fire over England (L'Invincible Armada) produisit sur le public anglais une forte impression, due pour une bonne part à l'inoubliable figure que Flora Robson, entourée de Laurence Olivier et Vivien Leigh, présenta de la « reine vierge ». Poursuivant son activité, Erich Pommer s'associa avec Charles Laughton puis, en 1939, il partit pour l'Amérique.

Le cinéma anglais doit deux autres de ses grandes réussites à des cinéastes venus d'outre-Rhin. Kurt Bernhardt lui donna Le vagabond bien-aimé (Maurice Chevalier) dont la partition musicale était due à trois compositeurs dont on peut s'étonner de voir les noms réunis : Darius Milhaud, Mireille et W. H. Heymann (1936). A Friedrich Feher, il est redevable de La symphonie des brigands, supervisée par Robert Wiene, et dont l'interprétation hardiment internationale avait pour chefs de file Magda Sonja, George Graves et Françoise Rosay. On doit encore citer : Eugen Frænkel (Seule dans la vie); Karl Grüne (Le sultan rouge et Paillasse, 1936); Berthold Viertel (Rhodes of Africa dont le héros, incarné par Walter Huston, était Cecil Rhodes); Lothar Mendes (La sonate au clair de lune avec le grand pianiste Paderewski).

Quant au cinéma français, si René Clair et Jacques Feyder furent ses plus brillants représentants sur les rives de la Tamise, ils ne furent pas les seuls. On put voir dans les studios anglais trois jeunes metteurs en scène français : Jean de Marguenat, Claude Autant-Lara et Edmond T. Gréville. Autant-Lara y réalisa My Partner Master Davis sur un scénario de Jacques Prévert, d'après un roman du journaliste chilien Jenaro Prieto, avec pour vedette l'acteur shakespearien Alastair Sim. Gréville dirigea trois films anglais, dont Gipsy Melody, avec Lupe Velez et l'orchestre d'Alfred Rode, sans parler de la version anglaise du film de Pabst Fräulein Doktor, qui présente cette particularité : les trois rôles tenus dans la version fançaise par Louis Jouvet, Charles Dullin et Gaston Modot y avaient été réunis en un seul, dont Erich von Stroheim était l'interprète (1936).

L'Italie, elle, n'eut qu'un représentant en Angleterre : Carmine Gallone, qui y dirigea, en deux versions, La ville qui chante (1931) dont Jan Kiepura était la vedette avec pour partenaires Brigitte Helm (version allemande)

et Betty Stockfeld (dans la version anglaise).
Ce fut aussi le cas du cinéma suédois, mais
il eut un représentant hors série, puisqu'il
s'agit de Victor Sjöström qui, revenu de
Hollywood et ayant repris son activité à
Stockholm, tourna à Londres Sous la robe
rouge (1937). Sur un scénario à prétentions
historiques du Hongrois Lajos Biro, où s'affron-
tent le cardinal de Richelieu (Conrad Veidt)
et Louis XIII (Raymond Massey), c'est un film
honnête qui n'ajoute rien à la haute renommée
de son auteur.

Malgré ces innombrables collaborations étrangères, il y avait place dans les studios anglais
pour des metteurs en scène nationaux, dont les
rangs se grossirent peu à peu de nouveaux
venus intéressants. Parmi ceux qui avaient
déjà montré une certaine activité sous le règne
du muet, il faut citer Maurice Elvey qui, à côté
d'une Vie de Nelson, fit un Juif errant pour

Le duc de fer, reconstitution historique de
Victor Saville.

cinéastes anglais

Sous la robe rouge
(1937), film anglais
de Victor Sjöström.

Conrad Veidt; Herbert Wilcox, producteur puis metteur en scène, qui s'attacha particulièrement à fournir de beaux rôles à sa vedette préférée Anna Neagle (Nell Gwynn, la favorite du roi, Victoria the Great, Nurse Edith Cavell, 1939); Victor Saville, amateur lui aussi de sujets historiques (Le duc de fer qui fournit à George Arliss un de ses derniers rôles au cinéma, Loves of Dictator où Madeleine Carroll et Clive Brook revivaient les amours de la reine de Danemark Caroline-Mathilde et de son ministre Struensee); Walter Forde (Chu-Chin-Chow, 1935); Jack Raymond (Royal Divorce — où Pierre Blanchar était Napoléon — et Sorrell and Son, un remake du film muet américain de 1925).
Ces deux noms avaient, eux aussi, commencé à paraître sur les écrans au temps du muet, mais c'est seulement sous le règne du parlant qu'ils prirent de l'importance.

Asquith et Hitchcock

Fils de Lord Asquith, ex-premier ministre, Anthony Asquith avait fait en 1931 son premier film parlant, d'après un récit d'Ernest Raymond, Geoffrey Barkas. Sous le titre Tell England, le film évoque l'expédition des Dardanelles, une des pages les plus sombres de la guerre 1914-1918. Débuts assez incertains, suivis de plusieurs films qui, eux non plus, ne laissaient pas prévoir ce qu'en 1938 allait être Pygmalion. Tiré de la pièce de G. B. Shaw, le film n'était que du théâtre filmé, mais il y a tant de brio dans la conduite de l'action et l'interprétation de Leslie Howard et Wendy Hiller était si spirituellement subtile qu'on eut l'impression que le cinéma anglais était vraiment arrivé à maturité. Pygmalion, dont le succès au festival de Venise fut très grand, est la pièce maîtresse de l'œuvre d'Anthony Asquith.

Quant à Alfred Hitchcock, il a acquis une si grande renommée à Hollywood, où il s'est installé en 1939, que l'on oublie trop facilement son activité en Angleterre. Scénariste, réalisateur, producer, Hitchcock n'ignore rien de son métier. Mieux que quiconque, il s'empare de son public avec tant d'habileté qu'on ne s'aperçoit pas de tout ce qu'elle contient de désinvolture. Son premier film parlant avait été Blackmail (Chantage, 1929) qui semble bien être le premier film parlant anglais. N'arrêtant pas de travailler, Hitchcock aligna en dix ans une quinzaine de films parmi lesquels il faut faire une place toute spéciale à Strauss Great Walz, L'homme qui en savait trop (Peter Lorre, 1934), Secret Agent (Sabotage) et surtout The 39 Steps (Les 39 marches, 1935) qui était non seulement un excellent film policier, mais encore une suite de tableaux très pittoresques et très exacts de la vie anglaise. On a pris l'habitude de regarder Hitchcock comme l'inventeur du suspense. C'est un peu facile et nettement exagéré : le suspense a existé de tout temps au cinéma : il y avait déjà un effet

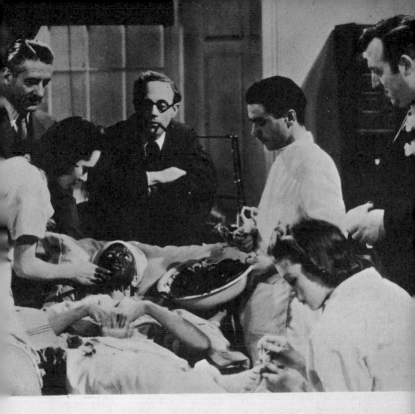

de suspense dans L'arroseur arrosé. Ce qui est exact, c'est que Hitchcock a usé du suspense avec une virtuosité jamais atteinte avant lui.

une nouvelle génération

C'est la génération des hommes qui n'avaient pas participé à la vie du cinéma avant que celui-ci ne devînt parlant. Le premier qu'il convient de citer ici est Basil Dean, qui traita avec beaucoup de goût Tessa la nymphe au cœur fidèle de Margaret Kennedy (1936). Auprès de lui, il faut placer Ernest Selfton qui refit Le lys brisé (1938); Arthur Maude, qui ajouta un Courrier de Lyon à tous ceux qui existaient déjà; Albert de Courville qui, après plusieurs films dont Strange Justice, vint faire en France Sous le casque de cuir dont Gina Manès fut la vedette.

En voici de plus jeunes encore. Robert Stevenson fournit au chanteur noir Paul Robeson l'occasion d'un grand succès avec

Pygmalion (1938), d'Anthony Asquith et Leslie Howard, d'après George Bernard Shaw.

L'homme qui en savait trop (1934), un des meilleurs films de Hitchcock, avec Peter Lorre.

Les mines du roi Salomon qu'il tourna en Afrique (1937). Carol Reed renonça à l'interprétation pour la mise en scène et donna en 1936 un film fort original, L'homme aux cents voix. Le personnage principal, interprété par Ricardo Cortez, en était un escroc qui, afin de faire des dupes, imitait successivement les voix des divers membres d'un conseil d'administration : utilisation ingénieuse de la technique sonore à des fins dramatiques. Michael Powell, après Edge of the World dont l'action se déroulait aux îles Shetland dans un climat de rude réalisme qui n'est pas sans rappeler le Man of Aran de Flaherty, s'associa avec Emeric Pressburger pour produire quelques-uns des films les plus intéressants de l'après-guerre [1]. J. Elder Wills réalisa un bon film musical dont la partition était du compositeur allemand Hans May : La vie, c'est l'amour. Après avoir appartenu à l'équipe de Korda, Brian Desmond Hurst, cousin de John Ford, mit son nom en tête d'un grand film d'aviation, The Lion has Wings, qui fit son apparition sur les écrans en 1939, dans les premiers mois de la guerre.

On est, non sans regret, bien obligé de dire que ces efforts n'ont pas permis au cinéma anglais de se doter d'une personnalité propre. Cette personnalité, c'est le parent pauvre de l'art des images animées — le documentaire — qui la lui donnera.

Flaherty, Grierson et l'École documentariste

Au lendemain de Tabou, Flaherty avait quitté l'Amérique et était venu en Europe. Il y avait ébauché divers projets qui n'avaient pas abouti. Finalement, il s'était entendu avec Grierson pour aller travailler en Angleterre. La rencontre de ces deux hommes allait avoir des conséquences importantes.

Écossais de naissance, John Grierson était docteur en philosophie de l'Université de Glasgow et il avait été admis au Centre de recherches Rockefeller où il s'était spécialisé dans l'étude du rôle social de la presse et de la radio. Là, il avait découvert le cinéma en tant que moyen d'action sur l'opinion publique. De retour en Angleterre, il avait réalisé, pour le ministère du Commerce, un film sur la pêche aux harengs dans la mer du Nord : Drifters, dont, comme Flaherty avec Nanouk, il avait fait un véritable drame de la vie quotidienne « inspiré à la fois par une compréhension empreinte d'une sincère sympathie du travail humain et par un exact et poétique sentiment de la mer », ainsi que l'a dit Paul Rotha, qui

[1] Cf. vol. 3.

En pages suivantes :
Flaherty tient l'École
documentariste an-
glaise sur les fonds
baptismaux avec **Man
of Aran** (1934), qui
raconte la vie quoti-
dienne des pêcheurs.

ajoute que ce film jeta les fondations du documentaire anglais. Après l'appui du ministère du Commerce, Grierson obtint celui des ministères du Travail, de l'Agriculture et de l'Information, qui avait besoin du cinéma pour lutter contre la propagande fasciste et nazie, du General Post Office avec lequel il constitua une société de production : The G. P. O. Film Unit. Ayant intéressé à ses idées d'importantes sociétés industrielles comme Gaz Light and Coke C° et Anglo Persian Oil, il constitua avec la collaboration de Paul Rotha, une nouvelle société de production : The Film Center, dont l'action allait être considérable. Pour Rotha, ce qui compte dans un film, c'est l'aspect social bien plus que sa présentation artistique. Afin de faire passer ses théories dans la pratique, il fit pour le Film Center plusieurs films dont les plus intéressants sont Contact, sur l'aviation (1932), The Face of Britain, Shippard (Constructions navales, 1935).

Immédiatement après Rotha, c'est Alberto Cavalcanti qu'il convient de placer auprès de Grierson. D'origine brésilienne, Cavalcanti avait joué un rôle important dans l'avant-garde française [1]. En 1934, il était devenu le collaborateur de Grierson qui lui confia la direction du service G.P.O. Là, Cavalcanti eut une très grande activité, dont il faut particulièrement retenir Coalface, le film le plus complet, le plus émouvant de tous ceux qu'inspira la vie des mineurs. Cavalcanti s'y était livré à des expériences hardies sur la collaboration images-son, confiant par exemple le commentaire de l'action à un chœur de voix d'hommes, pendant que l'atmosphère était créée par un chœur de voix de femmes dont les paroles étaient du poète W. H. Auden et la musique de Benjamin Britten.

C'est aussi par des recherches dans le domaine sonore que se recommande Night Mail de Harry Watt et Basil Wright, consacré au monotone travail des postiers dans les trains de nuit.

L'activité du G. P. O. et du Film Center, à laquelle participèrent encore Edgar Ausley, Arthur Elton, Donald Taylor, s'étendit à tous les domaines de la vie anglaise. Il ne faut pas oublier que Flaherty y participa en collaborant à côté de Grierson, Basil Wright et Arthur Elton à un grand film collectif : Industrial Britain, où il montra le travail du souffleur de verre et du potier dans les Midlands, et surtout en réalisant Man of Aran (1932-1934) qui montre

[1] Cf. vol. 1.

la lutte de l'homme contre une nature cruellement ingrate et qui est, entre Nanouk et Louisiana Story, l'étape la plus importante de son œuvre.

Enfin, c'est au service cinématographique du G. P. O. que revient le mérite d'avoir permis au cinéma anglais de faire quelques pas dans le domaine de ce qu'il est convenu d'appeler le cinéma d'animation. L'auteur de cette expérience fut Len Lye. Renonçant à user de la caméra pour photographier ses dessins, il les traçait directement, en couleurs, sur la pellicule. Les premiers films de Len Lye selon ce procédé furent Colour Box — dont le sujet a été ainsi défini : « Variation abstraite sur différents tampons du G.P.O. » — et Rainbow Dance (1937).

les Dominions

La production cinématographique dans les Dominions ne fut pas plus importante pendant l'enfance du parlant qu'au temps du muet. C'est ainsi qu'au Canada, il faut attendre la guerre pour trouver quelques films nationaux. L'Australie fut un peu mieux partagée, mais les premiers films qu'elle produisit : Orphan of the Wilderness et Rargle River furent interdits, lorsqu'ils arrivèrent en Angleterre, « pour cruauté envers les animaux ». The Flying Doctor de Milos Mendor eut la chance d'arriver jusqu'au festival de Venise (1937).

En Afrique du Sud, où Robert Stevenson était allé tourner Les mines du roi Salomon, La rose de Rhodésie fut réalisée par Leslie Lullecoque, qui employa des acteurs blancs et indigènes. La réussite de ce film amena la constitution d'une société, la South African Film, qui produisit plusieurs documentaires.

Aux Indes, l'apparition du parlant n'avait rien changé à l'état des choses. Les studios de Calcutta, Bombay, Madras continuèrent à puiser dans le vieux fonds national de légendes et de contes, pour en tirer des films — environ 200 par an — que la diversité des langues et dialectes condamnait à de multiples doublages, mais auxquels musique, chants et danses conféraient un indiscutable agrément. On le vit en 1934 au festival de Venise, lorsqu'y fut présenté Seets de Devaki Kumar Bose, un des grands hommes du cinéma hindou dans les années précédant la seconde guerre. Honneur qu'il partageait avec V. Shantaram (Immortal Flame, 1936) et Shante Apte (Sent Takaram, 1937).

U.R.S.S. : débuts prudents

Dès 1928 et avant même de savoir ce que pouvait être et surtout devenir le cinéma sonore et parlant, les deux grands hommes du cinéma soviétique, S. M. Eisenstein et V. Poudovkine, à qui s'était joint G. V. Alexandrov, disciple et futur assistant d'Eisenstein, avaient pris position contre la nouvelle invention, en un manifeste où ils formulaient les idées les plus justes. Si l'on ajoute que sur les 26 000 salles existant en 1929 — 8 840 dans les villes et plus de 17 000 dans les campagnes — il n'y en avait que 770 possédant un équipement sonore, on comprendra pourquoi le cinéma soviétique entra dans le parlant, si l'on peut dire, sur la pointe des pieds : jusqu'en 1934, la production donna plus de films muets que de films parlants. On avait donc commencé par sonoriser des films existants comme L'express bleu d'Ilya Trauberg, dont la sonorisation comportait des bruits et une partition musicale de l'Allemand Edmund Meisel, un des collaborateurs de Walter Ruttmann (1932).

Poudovkine et le contrepoint

Dans le même temps, V. Poudovkine avait entrepris La vie est belle, où il se proposait de mettre en pratique les idées exposées dans le fameux manifeste, notamment sa théorie du contrepoint. Ces intentions étaient-elles trop subtiles, leur réalisation matérielle, faute de moyens techniques, fut-elle insuffisante ? Toujours est-il que le film fut exploité comme film muet. Découragé par cet échec, les cinéastes russes se méfièrent du contrepoint. On n'en vit plus trace dans les films qui naquirent à cette époque. Poudovkine partit pour Berlin où il travailla comme acteur dans le film d'Ozep Le cadavre vivant. A son retour, il mit son nom en tête d'un film de la plus pure orthodoxie tant idéologique que cinématographique : Le déserteur, histoire d'un ouvrier allemand qui, faisant partie d'une délégation venue voir ce qu'est la vie en pays socialiste, ne regagne pas son pays mais se fait embaucher dans une usine où son zèle est remarqué, jusqu'au jour où, comprenant qu'il se conduit comme un déserteur, il rentre dans sa patrie pour y prêcher la bonne parole. Ce fut un succès dont Henri Barbusse a dit : « Poudovkine a accompli là un véritable miracle. J'applaudis de toute mon âme à cette victoire artistique inoubliable de l'art soviétique qui est à l'avant-garde du cinéma universel. [1] »

---

[1] Cité dans Les maîtres du cinéma soviétique au travail. Service cinématographique de l'U.R.S.S. en France, 1946.

Le cinéma soviétique n'en était pas encore là et Poudovkine consacra le meilleur de son activité à la chaire qu'il occupait à l'Institut cinématographique d'État.

L'Express bleu et La vie est belle sont deux premiers essais sans lendemain des studios soviétiques pour sortir le cinéma du silence. Avec Nikolaï Ekk, qui venait du théâtre où il avait fait partie de la compagnie Meyerhold, les choses devinrent plus sérieuses. Son coup d'essai, Le chemin de la vie (1931), fut un coup de maître. S'attaquant à un des plus graves problèmes de l'heure, celui de la jeunesse abandonnée et délinquante, il montrait comment l'action d'un jeune éducateur transformait des gamins dévoyés en bons et joyeux travailleurs. L'interprétation de jeunes garçons improvisés acteurs était fort émouvante. Débuts prometteurs qui n'eurent pas de prolongement car, ni dans Rossignol, petit rossignol, ni dans

**Nikolaï Ekk
et
Dziga Vertov**

Un quasi-documentaire sur l'enfance abandonnée : **Le chemin de la vie** (1931) de Nikolaï Ekk.

Berceuse (1937) de Dziga Vertov, cinéma-œil et cinéma-oreille.

La foire de Sorotchinski **(1939), on ne retrouve trace de ce qui avait fait du** Chemin de la vie **une des œuvres les plus achevées que l'art du cinéma doive à la Russie soviétique.**

Le chant du Don, **intitulé aussi** Enthousiasme, **n'a ni la signification ni la valeur du** Chemin de la vie, **mais il marque l'entrée dans le parlant d'un des hommes qui ont eu le plus d'influence sur le cinéma russe : Dziga Vertov.** Le chant du Don **est une sorte de documentaire lyrique sur l'industrialisation du bassin du Don. La musique et les bruits y tiennent une grande place, ce qui lui valut certains reproches, à la suite desquels l'auteur s'accorda une pause, à l'exemple de Poudovkine. Quand il en sortit, ce fut pour donner** Les trois chants de Lénine, **hymne à la gloire du fondateur du régime, suite d'images, les unes composées pour la circonstance, les autres prises dans les archives officielles, triomphe du cinéma-œil et chef-d'œuvre de montage. Trois années passèrent avant que naquît un nouveau film de Vertov :** Berceuse, **dernière manifestation importante de son activité (1937).**

Eisenstein et l'aventure mexicaine

Pourquoi le nom de l'auteur du Cuirassé Potemkine **ne se trouve-t-il pas à côté de celui de Poudovkine, à une heure où le cinéma soviétique aurait dû utiliser ses meilleures**

forces? Tout simplement parce qu'il avait été engagé par la Paramount et qu'en attendant son embarquement, il était parti pour Paris où la société américaine avait une succursale, avec laquelle il pensait pouvoir régler les conditions de son prochain travail. Les pourparlers traînant en longueur, il supervisa un film d'Alexandrov qu'il qualifiait d'essai audiovisuel : Romance sentimentale. En juin 1930, il partit pour Hollywood. Là, les choses ne s'arrangèrent pas et Eisenstein rompit son contrat pour aller au Mexique, où il entreprit un grand film : Que viva Mexico!; 30 000 mètres de pellicule furent enregistrés. Les bobines furent envoyées au fur et à mesure à Hollywood, mais, quand Eisenstein voulut procéder à leur montage, l'entrée en territoire américain lui fut refusée. Les négatifs furent vendus au plus offrant. La Metro Goldwyn en acheta une partie qu'elle utilisa dans Viva Villa!. Une autre partie tomba entre les mains de Sol Lesser qui les assembla et les présenta sous le titre Tonnerre sur le Mexique. Du restant, Mary Seton, amie fervente d'Eisenstein, fit un montage, Time in the Sun, qui fut exploité de divers côtés. C'est un documentaire intéressant sur le Mexique, mais ce n'est pas Que viva Mexico!.

A son retour en Russie, d'où il était parti depuis quatre ans, Eisenstein, impatient de travailler, choisit comme sujet une nouvelle de Tourguenev, Le pré Besjine. Avant que le film fût fini, il fut accusé de ne pas posséder « la tendance idéologique juste ». Eisenstein fit son autocritique et se mit à la recherche du sujet « concret et sain » capable de « servir à la marche triomphale du socialisme ».

Ce sujet, il le trouva dans l'histoire du prince Alexandre Nevski qui, en 1242, avait anéanti les armées teutonnes sur les bords du lac Tchoud. Comment ne pas voir là une image de la résistance du peuple slave à l'envahisseur venant de l'Ouest? Ce fut une immense fresque, une sorte de Chanson de Roland cinématographique. Sur le plan idéologique, elle substitue la propagande nationale à la propagande révolutionnaire. On a abondamment célébré la beauté des images montrant l'engloutissement des chevaliers teutoniques dans les eaux du lac. Ce n'est que justice, mais il est, tout au long du film, des images qui dégagent une beauté, une force non moins impressionnantes. Remarquablement interprété par

« Alexandre Nevski »

Pièces détachées pour un chef-d'œuvre : **Que viva Mexico!** (1932) de Serge Eisenstein.

En pages suivantes : **Alexandre Nevski** (1938), images épiques d'Eisenstein sur une cantate de Prokofiev.

Nikolaï Tcherkassov qui, dans le rôle principal, montra l'autorité, la puissance, la noblesse que le personnage exigeait, le film fut présenté le 23 novembre 1938 au Bolchoï de Moscou. Ce fut un énorme succès. Eisenstein allait pouvoir oublier tous ses récents déboires. Il avait donné à son pays une œuvre comme tous les régimes autoritaires de l'époque rêvaient d'en voir naître une dans leurs studios.

Alexandrov et Dovjenko

Du nom d'Eisenstein, on ne peut pas séparer celui de son assistant Gregori Alexandrov qui, l'ayant fidèlement suivi au Mexique, s'était attaqué dès son retour à un film d'un genre nouveau dans le cinéma soviétique : la comédie musicale. Il n'y a rien dans Les joyeux garçons

que l'on n'ait vu ailleurs, notamment chez René Clair et Erik Charell. Mais le film était fort bien joué par Leonid Outiessov et Loubov Orlova, qui avait une voix ravissante, si bien que ce fut un succès même en pays capitalistes. Le cirque et Volga, Volga, qui suivirent, sont loin de valoir Les joyeux garçons.

Avec Eisenstein et Poudovkine, Alexander Dovjenko avait été le troisième grand homme du cinéma soviétique pour l'époque muette. En parlant, il n'enrichit son œuvre que de trois films, dont le meilleur est Aerograd (1935), où il donne forme à un des rêves du régime : la création d'une grande ville dans une région désertique. Cela lui permit de brosser de beaux tableaux de la forêt sibérienne.

Ermler, Youtkevitch, Romm, Donskoï

Venus aussi du cinéma muet, Friedrich Ermler et Serge Youtkevitch avaient signé ensemble Rencontre, puis ils s'étaient séparés. Ermler réalisa Le grand citoyen (1937) qui montrait comment un simple partisan devient un homme politique. Youtkevitch fit revivre le personnage de Lénine, intelligemment incarné par Chtraoukh, dans L'homme au fusil, réalisé pour le XXᵉ anniversaire de la révolution d'Octobre.

A la même occasion, ce fut aussi à glorifier Lénine, en lui accolant cette fois Staline, que s'employa Mikhaïl Romm dans Lénine en Octobre et Lénine en 1918. Le rôle du fondateur du régime était tenu par Boris Chtchoukine qui, selon le Journal de Moscou, « sut incarner la puissance du peuple révolutionnaire et la foi inébranlable en la victoire de la révolution prolétarienne. »

C'était là du film biographique, genre auquel appartient aussi le triptyque que Mark Donskoï consacra à Maxime Gorki : L'enfance de Gorki, Parmi les hommes et Mes universités (1938-1940) dont il prit la matière dans les Mémoires de l'écrivain, œuvre émue et émouvante. Triptyque également, l'histoire, que contèrent Gregori Kozintsev et L. Trauberg, de ce jeune ouvrier qui devient un militant des idées nouvelles et contribue à l'édification de la société idéale : La jeunesse de Maxime, Le retour de Maxime, Maxime à Viborg.

« Tchapaïev »

Tchapaïev, de Serge et George Vassiliev, est l'histoire d'un paysan qui, ayant levé une bande de partisans, mène la guerre contre les armées blanches et accomplit des exploits qui prennent des dimensions légendaires : un beau film, où s'affirma le talent de Boris Babotchkine, qui campa fortement la figure de ce paysan devenu chef militaire.

Guerassimov

Passant de la paysannerie à la jeunesse, Serge Guerassimov conta dans Les sept braves l'hivernage, dans une région désolée de l'Arctique, d'un groupe de six jeunes gens et d'une fille. Dans Komsomolsk, il montra comment des centaines de jeunes gens entreprenaient la construction d'une ville sur les bords du Pacifique.

Boris Babotchkine dans Tchapaïev (1934), ou l'héroïsme révolutionnaire vu par Serge et George Vassiliev.

Enfin, remontant dans le passé, Vladimir Petrov ressuscita un Pierre le Grand dont la vie et les actes lui semblaient « très proches de la vie et des actes du peuple soviétique qui, lui aussi, établit chaque jour les bases d'une vie nouvelle ». Sans atteindre à la grandeur et au lyrisme d'Alexandre Nevski, Pierre le Grand, dont Nikolaï Tcherkassov fut l'excellent interprète, est un beau film où l'histoire n'est interprétée que dans la mesure où il est impossible de faire autrement. La Catherine Iʳᵉ que Petrov donna comme pendant à son Pierre le Grand, et qui fournit un beau rôle à Alla Tarassova, connut une réussite moins nette.

A côté de ces noms plus ou moins nouveaux, il faut faire une place à deux noms célèbres à des titres divers, depuis longtemps : il s'agit des noms de Jacob Protozanov et d'Erwin Piscator. Après un séjour en France [1], Protozanov était revenu en Russie et il y avait repris une activité, restée des plus discrètes, jusqu'au jour où, avec Le procès des trois millions, il fait une vigoureuse et joyeuse satire de la NEP (Nouvelle économie politique), montrant les dangers de la liberté du commerce : film qui mérite d'être signalé surtout à cause de la rareté du comique dans la production soviétique. Quant à Piscator, réfugié en U.R.S.S. pour échapper à Hitler, il porta à l'écran un roman d'Anna Seghers, La révolte des pêcheurs, dont le sujet est une grève, qui finit dans le sang, de pêcheurs exploités par leur armateur. L'action est violente, et menée avec maîtrise. La forte personnalité du metteur en scène s'y affirme heureusement. Ce fut la seule expérience cinématographique de ce grand homme de théâtre.

Solidement structuré à travers toute l'Union, le cinéma avait acquis peu à peu une grande vitalité. Il y avait 32 000 postes de projection, dont 9 000 dans les villes, le reste dans les campagnes et les administrations dépendant de l'État, et 13 groupes de studios répartis entre les diverses républiques. Un film n'était jamais tiré à moins de 500 copies et Alexandre Nevski l'avait été à 800. En 1935, un festival eut lieu à Moscou. La France, l'Angleterre, l'Allemagne, l'Italie, la Suède, la Pologne, la Tchécoslovaquie, le Japon y participèrent.

Petrov

Protozanov et Piscator

le cinéma soviétique à la veille de la guerre

[1] Cf. vol. 1.

Suède

Après un film musical, La mélodie du bonheur, et la version suédoise d'un film de la Paramount joinvillaise, Le trou dans le mur, dirigée par Edvin Adolphson, les premiers films parlants suédois sortis des studios de la Svenska furent des coproductions franco-suédoises : Serments et Une nuit, réalisées par Henri Fescourt et par Gustaf Molander. Celui-ci allait très vite faire mieux et c'est sous sa signature que sortirent des studios de la Svenska les meilleurs films de l'époque : Swedenhielm, d'après une pièce d'Ingmar Bergman, dont le héros est un lauréat du prix Nobel, incarné de façon remarquable par Gösta Ekman et qui vit les débuts d'Ingrid Bergman (1935); Intermezzo, dont Molander avait écrit le scénario en collaboration avec Gösta Stevens, et Le visage d'une femme : deux films dont la vedette fut Ingrid Bergman; laquelle ne fut pas longue à s'imposer, de sorte qu'elle fut engagée par la UFA, qui en fit la vedette d'un film de Carl Frœlich, Die vier Gesellen, son dernier film avant son engagement par Hollywood.

Ingrid Bergman et Gösta Ekman dans **Intermezzo** (1936) de Gustaf Molander.

Stiller était mort à peine revenu d'Amérique et Sjöström se manifesta plutôt comme acteur que comme metteur en scène. C'est tout juste, en effet, s'il mit alors son nom en tête d'une coproduction germano-suédoise, Markurell i Wadköping, d'après un roman de Hjalmar Bergman, dont il fut l'interprète avec sa vieille camarade Pauline Brunius (1930). Désormais, pour Sjöström comme pour le cinéma suédois, les grandes heures de La charrette fantôme étaient passées.

A côté de Molander, il faut pourtant placer Gustaf Edgren, avec Karl-Frederik Regerar (sur le développement du socialisme, 1934) et Valborgsmessoafton (sur le problème de la natalité), deux films d'une rigueur presque documentaire; et Schamyl Baumann, avec Carrière et Nous deux, qui valurent à Signe Hasso un engagement à Hollywood (1936). A quoi s'ajoute une intéressante production de documentaires, à laquelle participèrent le prince Wilhelm, fils du roi (La mélodie du port,) et Paul Fejos qui, avec pour assistant Gunnar Skoglund, réalisa au Siam un film intéressant, Pour une poignée de riz, qui valut au cinéma suédois une haute récompense au festival de Venise (1939).

A la naissance du parlant, le cinéma danois avait perdu ses deux grands hommes : Benjamin Christensen, qui travaillait à Hollywood depuis 1926, et Carl T. Dreyer, qui venait de faire en France La Passion de Jeanne d'Arc et qui, revenu à Copenhague en 1935, y reprit son premier métier de journaliste (il ne refit œuvre de cinéaste qu'en 1943). Mais la société Nordisk possédait les brevets d'un procédé d'enregistrement et de reproduction sonores mis au point par les ingénieurs Arnold Poulsen et Axel Petersen et elle contrôlait la majorité des quatre cents salles de projection que possédait le pays. Ayant en main ces deux atouts, elle entreprit de fermer le marché scandinave aux films américains, mais elle n'y réussit pas et ceux-ci continuèrent à occuper comme avant les écrans danois, sur lesquels furent projetés en 1935 plus de 800 films venus de Hollywood. Quant à la production, bien que la Nordisk eût fait venir de Budapest Paul Fejos qui ne retrouva son succès américain de Solitude ni avec La fuite des millions, ni avec Prisonnier n° 1, il fallut attendre le retour d'A.W. Sandberg pour inscrire à l'actif de la Nordisk un film de valeur : Cinq jeunes

Danemark

filles énergiques. Ce fut malheureusement le dernier film de Sandberg, qui mourut en 1938.

Norvège

La Norvège était, elle aussi, envahie par les films américains : 250 à 300 par an, auxquels s'ajoutaient nombre de films allemands. Quant à sa production, c'est tout juste si on peut citer quelques films de George Schneevoigt comme Ekaluk, la Vénus du Pôle, dont l'interprétation réunissait des acteurs allemands et français autour de Mona Martenson, ou La symphonie du Nord de Julius Sandemeyer, sur une chanson de Bjœrnstjerne Bjœrnson, qui fut bien accueillie en 1938 au festival de Venise.

Finlande

La vie cinématographique en Finlande présentait certaines particularités dont on ne peut nier l'originalité : c'est ainsi que la projection des films interdits par la censure était tolérée moyennant le paiement d'une amende pour chaque infraction et que les taxes perçues sur les recettes étaient de 30 % pour les films d'aventures et de 15 % seulement pour les films de caractère artistique. Malgré cela, les firmes de production, dont la plus importante était la Suomen Filmiteollisuus, n'arrivèrent jamais à donner aux écrans nationaux plus d'une douzaine de films par an. Dans ce nombre, il y en eut d'intéressants comme La femme de radelier d'Erkki Karu — remake d'un film muet —, Les activistes, film patriotique de Risto Orko, Toundra, coproduction germano-finlandaise de Friedrich von Maydell, inspirée par la Valse triste de Sibelius (1931).

Pologne

Le cinéma polonais était en plein essor lorsque ses dirigeants et ses techniciens se trouvèrent dans l'obligation de s'adapter aux méthodes du parlant. Il leur fallut pour cela un certain temps. Aussi le premier film parlant polonais fut-il une version, dirigée par Richard Ordynski, d'un film de la Paramount joinvillaise : Le secret du docteur. Puis vint, tourné à Varsovie, La moralité de Madame Dulska dont les interprètes étaient Dela Lipinska et Thadée Wesolowski, dirigés par le Russe Boris Niewoline. Dès lors, la production polonaise fut dominée par des hommes entreprenants et doués. Alexander Ford réalisa en 1932 La légion de la rue, tableau de mœurs d'une saveur très originale, montrant la vie des gamins crieurs de journaux, et qui n'est pas sans

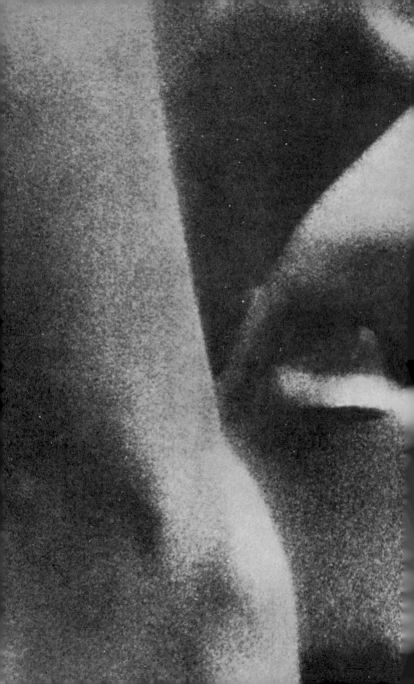

rappeler Émile et les détectives. Deux ans plus tard, il fit L'éveil, riche d'intentions sociales; puis enfin Les hommes de la Vistule (1939). Alexander Ford pourrait être regardé comme l'initiateur du cinéma parlant polonais, s'il n'y avait Richard Ordynski, réalisateur de Jeannot le musicien d'après une nouvelle de Sienkiewicz, de L'étendard de la liberté, d'Aventure américaine, tourné en partie en Amérique et sur le paquebot pendant la traversée. Ordynski vit son activité de metteur en scène gravement réduite lorsqu'il fut nommé président du Conseil supérieur de l'industrie cinématographique, que le gouvernement venait de créer (1934). Ce conseil prit en main l'organisation de la vie cinématographique dans tout le pays et, particulièrement, le contrôle des 700 salles de projection qui s'y trouvaient; il frappa de taxes les films étrangers; grâce à ces mesures, la production, qui était de 15 films en 1935, s'éleva à 30 en 1937, sans compter environ 80 courts métrages.

Les réalisateurs les plus intéressants furent alors Michel Waszynski, auteur de : Héros anonymes (1932), Les douze sièges (qui avait pour vedettes Adolphe Dymsza, le comique polonais le plus populaire, et le plus populaire des comiques tchèques, Vlasta Burian), Les vagabonds de Leopol (comédie musicale, inspirée par une émission à succès de Radio-Lwow et dont les interprètes étaient Stanislas Sielanski et les speakers du poste); Henri Szaro : Histoire d'un péché, Messire Twardowski (d'après de vieilles légendes nationales, 1936); Jules Gardan : Madame le ministre danse (films à intentions satiriques), La lépreuse (d'après un roman d'Hélène Mniszek), Halka (mise à l'écran de l'opéra de Stanislas Moniuszko, œuvre de caractère national, un des succès les plus justifiés qu'ait connus une adaptation cinématographique d'œuvre lyrique, 1937); Joseph Leytes qui, entre dix films, attacha son nom à deux œuvres de classe : La jeune forêt (épisode de la lutte des patriotes polonais : la grève que les élèves d'un lycée de Varsovie avaient menée en 1905 en mesure de protestation contre leurs professeurs russes — œuvre émouvante par sa simplicité et sa sincérité, qui, mieux encore que Halka, doit être regardée comme le grand film national des années 30-40) et Barbara de Radziwill (grand film de reconstitution historique dont le succès fut de classe internationale); Léon Trystan : L'étage au-dessus

Extase (1932) de Machatý renouvelle le succès d'Erotikon et lance Heddy Kiesler, qui deviendra à Hollywood Hedy Lamarr.

(qui opposait spirituellement deux générations : celle qui s'en tient à la musique de chambre et celle du jazz, 1938).

Enfin, il faut rappeler un film unique en son genre : Le génie de la scène de Romuald Gantkowski, fidèle et pittoresque biographie du plus éminent acteur des scènes polonaises : Louis Solski. Le cinéma polonais est certainement un de ceux qui surent le mieux résister aux influences étrangères et garder un caractère national.

Tchécoslovaquie

On peut en dire autant du cinéma tchécoslovaque. S'il s'adonna largement aux collaborations avec ses rivaux étrangers, il sut toujours conserver sa personnalité. Le pays comptait 1 100 salles de spectacle cinématographique dont 90 à Prague. Leurs programmes étaient alimentés pour près de moltié par Hollywood et pour un quart par Berlin, le reste constitué de films français et de ceux que produisaient les deux importants studios de la capitale. Le passage du muet au parlant s'était effectué sans grandes difficultés. Le gouvernement ayant pris d'excellentes mesures de protection et d'encouragement en faveur de la production nationale, celle-ci, qui était d'une trentaine de films en 1926, s'était élevée régulièrement jusqu'à 54 films en 1937. En même temps, le nombre des salles de projection était passé à plus de 1 800, auxquelles s'ajoutaient 178 postes ambulants et 113 salles réservées à l'armée. Le cinéma tchèque, à la veille de la guerre, était un des plus prospères d'Europe.

Quant à sa valeur artistique, elle reposait sur des hommes qui avaient déjà fait leurs preuves au temps du muet. Au premier rang, il faut placer Gustav Machatý. Naturellement, désireux de retrouver le succès que lui avait valu son Erotikon, il imagina, en collaboration avec František Horký, une toute simple histoire, Extase, qui réunissait tous les éléments de sa précédente réussite et dont les images dégageaient la même sensualité. La vedette en était cette fois Heddy Kiesler. Extase n'eut rien à envier à Erotikon; la preuve en fut l'engagement par Hollywood de l'auteur et de l'interprète qui, sous le nom de Hedy Lamarr, commença outre Atlantique une brillante carrière.

Comme Machatý, Karel Lamač et Karl Anton avaient débuté au temps du muet. Leur activité se poursuivit dans la voie où elle s'était engagée, Lamač inscrivant parmi vingt films

une Petite Dorrit qui n'aurait pas déplu à
Dickens et une comédie musicale : C. K. Feld-
marschal, dont l'interprétation réunissait le
comique national Vlasta Burian et Seff, un
comique viennois célèbre pour ses imitations
de Harold Lloyd. Presque aussi prolifique que
Lamač, Karl Anton se rapproche de Machatý
pour avoir attaché son nom à un film qui fit
sensation par ses intentions sociales et par ses
recherches d'expression : Tonischka, dont le
scénario était de Benno Vigny d'après un
roman d'Egon Erwin Kisch. Le point de départ
mérite d'en être rappelé, car il est un des plus
audacieux de toute l'histoire du cinéma.
S'appuyant sur un règlement tombé en désué-
tude, un condamné à mort demande à passer sa
dernière nuit avec une femme. Celle-ci, ramenée
d'une maison de prostitution, est une petite
paysanne venue tenter fortune à la ville. « Sujet
formidable », a dit Marcel Carné [1]. Il est juste
pourtant de reconnaître que le sujet avait
été bien servi par ses interprètes : Ita Rina,
Josef Rovenský et Vera Baranovskaïa, qui
ne fut pas inférieure à ce qu'elle avait été
dans le film de Poudovkine La mère. Malheureusement, l'œuvre de Karl Anton, sérieuse,

---

[1] Cinémagazine, juillet 1930.

Jánošík (1936) de Mac Frič, film typiquement national, contant les aventures et la mort d'un héros légendaire des monts Tatra.

Harry Baur dans le « remake » du **Golem** que Julien Duvivier fit à Prague (1936).

solide et des plus honorables, ne comprend pas d'autre Tonischka.

Quant à Mac Frič, il donna la vie à deux personnages pittoresques : Le brave soldat Šveik, sorti du roman de Jaroslav Hasek dont les scènes militaires connaissaient dans toute l'Europe centrale une popularité égale à celles de Georges Courteline en France; et Jánošík, sorte de Robin des Bois des monts Tatra, menant la lutte contre les Hongrois.

Autour de ces trois hommes, le cinéma tchécoslovaque eut encore Josef Rovenský, acteur devenu metteur en scène; de qui Reka est un film poétique d'un véritable lyrisme (1935). Jan Sviták fit Milan Rastislav Štefánik, qui célèbre la fraternité d'armes franco-tchèque et la naissance de la République tchécoslovaque. Ladislas Vancura, écrivain, se fit son propre producteur pour Avant le bac, où il traitait des rapports entre maîtres et élèves.

Parallèlement à cette production portant fortement l'empreinte nationale, une autre production non moins importante, mais de caractère international, sortait des studios de Prague dont l'équipement des plus modernes et la main-d'œuvre moins chère qu'à Berlin et Paris attiraient les réalisateurs étrangers. Les plus nombreux étaient les Allemands. Le premier fut, dès 1930, Friedrich Feher qui y tourna Ihre Junge dont il était le réalisateur, le compositeur et l'interprète, avec Magda Sonja pour partenaire. Puis vint, entre autres, Victor Janson (Eine Frau die weisst wass sie will, avec Lil Dagover) pendant que de Vienne arrivait Max Neufeld, pour porter à l'écran l'opérette de Leo Asche Valse éternelle, en deux versions dont la française réunissait une interprétation assez étonnante : Odette Joyeux, Renée Saint-Cyr, Henry-Roussell, Pierre Brasseur et Jean Servais (1935).

Les deux principaux représentants du cinéma français qui vinrent travailler à Prague furent Julien Duvivier, qui y refit Le Golem (avec Harry Baur, Roger Karl, Germaine Aussey, Jany Holt), la vieille légende tournée en muet par Paul Wegener; et V. Tourjansky, qui y tourna un film d'atmosphère purement russe : Volga en flammes (avec Danielle Darrieux, Albert Préjean et Valery Inkijinoff, 1934).

En quelques années, le cinéma tchécoslovaque s'était donné une personnalité qui tenait en l'union intime du réalisme le plus quotidien et d'une poésie d'essence folklorique. Malheureusement, les accords de Munich, qui avaient partagé le pays en deux, privèrent les films sortant des studios de Prague d'un tiers environ des salles qui constituaient leur clientèle. D'autre part, la censure se montra de plus en plus sévère, si bien qu'il faudra attendre 1945-1946 pour voir les studios de Prague reprendre une activité à peu près normale.

Hongrie

Tant que le cinéma ne s'était pas évadé du silence, la production cinématographique hongroise n'avait été ni très régulière ni très abondante; mais comme il y avait dans les régions danubiennes environ douze millions d'individus parlant hongrois et que la Hongrie seule comptait en 1930 plus de 550 écrans dont une centaine à Budapest, la situation changea : de nouveaux studios s'ouvrirent et le nombre des films hongrois, qui n'était annuellement que de quelques unités, passa à 12 en 1934 pour s'élever à 35 en 1937.

Le grand homme du cinéma hongrois fut alors Paul Fejos qui, après dix ans d'absence, était revenu au pays natal. Sans valoir Solitude, le film qu'il donna alors au cinéma national peut être regardé comme le plus représentatif de l'art cinématographique hongrois. Il a pour titre Marie, légende hongroise et pour vedette l'ingénue du cinéma français, Annabella (1932). C'est un conte du folklore hongrois, sur le thème de la fille-mère, que Fejos avait réussi à débarrasser de tout ce qu'il comporte de conventionnel. Ayant ainsi marqué d'une pierre blanche son passage dans la vie cinématographique de sa patrie, Paul Fejos alla travailler à Vienne.

Les autres cinéastes hongrois de ces années furent Stefan Székely, qui fit surtout des films de coproduction germano-hongroise : Scandale à Budapest (1933), A Noszty flu Esete (1938); Lászlo Vajda, ancien collaborateur de Pabst (Hello Budapest!, 1932); Béla Gaal (L'homme d'or, 1937).

Parmi les nombreux Allemands qui vinrent travailler à Budapest, il convient de citer Veit Harlan (Tout pour Veronika, 1936); Heinz Hille (Rêves d'amour, où il utilisa adroitement des thèmes de Franz Liszt); Robert Wiene (Eine Nacht in Venedig, opérette sur des airs de Johann Strauss). Le Tchèque Karel Lamač fit, lui aussi, plusieurs films à Budapest, parmi lesquels Wo die Lerche singt, dont la partition était de Franz Lehar et la vedette Martha Eggerth.

Le passage du muet au parlant ne changea rien à la production cinématographique belge, bien que celle-ci fût obligée de se partager en deux pour satisfaire sa clientèle flamande aussi bien que celle d'expression française. La part la plus importante de cette production continua à être consacrée aux courts métrages et aux documentaires. Pourtant, Charles Dekeukeleire se lança dans une œuvre plus importante : Le mauvais œil; Herman Teirlinck lui en avait fourni le scénario, exploitation de superstitions paysannes; une partition de Marcel Poot l'accompagnait. Mais Dekeukeleire revint bientôt aux documentaires, montrant un heureux éclectisme dans le choix des sujets : Processions et cavalcades, Chanson de toile, Thèmes d'inspiration. Ce dernier film montrait « à travers les manières et les styles successifs... la continuité et la permanence des types et des paysages dans la peinture flamande ». Carl Vincent en a dit qu'il « marque une date dans l'histoire du documentaire [1] ». Il fait honneur à Dekeukeleire et au cinéma belge. C'est dans la voie ainsi ouverte que s'engagea André Cauvin avec L'agneau mystique, analyse minutieuse et pieuse du chef-d'œuvre des frères Van Eyck. Puis il alla en Afrique, d'où il rapporta Congo, terre d'eaux vives (1939). Henri Storck, qui avait été à l'école de Jean Vigo et de Jean Grémillon, produisit une œuvre variée : Images d'Ostende, Trois vies et une corde, L'île de Pâques dont Paul Rotha a dit

[1] Carl Vincent : Vingt ans de cinéma à Venise. Rome, Ed. Ateneo.

Margot la Folle de Jérôme Bosch et une paysanne flamande dans Thèmes d'inspiration (1937), Charles Dekeukeleire cherche à dépasser le documentaire dans le sens de l'analyse critique

Après avoir débuté, lu aussi, dans le film d'art, André Cauvin réalisa un chatoyant « album de voyage » Congo, terre d'eaux vives (1939).

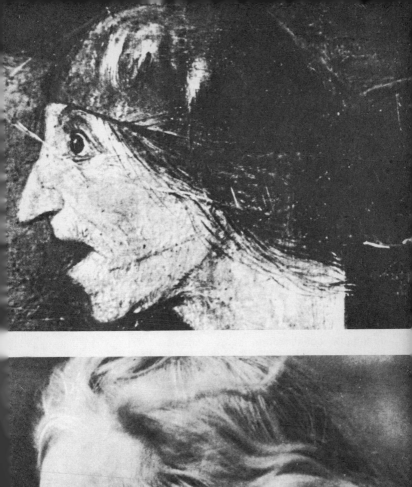

que c'était un des « exemples les mieux venus du film de découverte géographique et sociale [1] ». Pour Idylle à la plage, il demanda à Raymond Rouleau d'être sa vedette ; à Maurice Jaubert, il demanda l'accompagnement musical de Jazz (1931). Ce fut là pour Maurice Jaubert le début de sa collaboration avec le cinéma, collaboration qui se poursuivit avec Jean Vigo, Jacques Prévert, Marcel Carné, Julien Duvivier. A ces noms il faut ajouter ceux du marquis de Wavrin (Au pays du scalp), de Francis Martin (La chanson des carillons et des rivières), de Noël Renard (Les grottes de Han), de M. Valmond (Intermèdes, film en couleurs par le procédé belge Discolor), etc.

Le film belge de fiction ne possède pas une personnalité aussi intéressante. Il eut pourtant quelques artisans comme Gaston Schoukens (En avant la musique ! — 1937 — film musical et bon enfant sur la « belle époque » à Bruxelles ; Bossemans et Coppenolle, vaudeville populaire interprété par Libeau) ; comme Rigobert Arnould (La fosse ardente, drame de la mine, plein d'intentions généreuses) ; comme Philippe Vloeberghs (Beau lac d'amour, dont l'action se déroulait dans le cadre poétique de Bruges). Sans parler, bien entendu, d'une abondante collaboration belgo-française : Le mariage de Mademoiselle Beulemans, filmé cette fois par Jean Choux, et quelques Passeurs d'hommes (de René Jayet) et autres Carillon de la liberté (de Gaston Roudès).

En Hollande, comme en Belgique, le documentaire l'emportait sur le spectaculaire. D'autant plus nettement que la Hollande possédait un homme que l'on pouvait regarder comme un disciple de Flaherty : Joris Ivens. Né à Nimègue en 1898, Joris Ivens avait fait en 1928 son premier film : Le pont. L'année suivante, ç'avait été La pluie. C'étaient deux documentaires lyriques. En 1930 vint Nous bâtissons, devenu bientôt Zuyderzee, à propos duquel Ivens déclara que son but était de « réaliser des films qui puissent servir d'armes pour la lutte des classes ». Il réussit à défendre ses idées sans jamais cesser de faire de bons films. Que Zuyderzee ait subi l'influence de films soviétiques comme Turksib ou La ligne générale, c'est visible, mais il a de la force et son rythme est irrésistible. Joris Ivens

Collaboration hollando-belge : **Borinage** (1934) de Joris Ivens et Henri Storck, film-enquête sur une grève.

Hollande

---

[1] Paul Rotha : **Documentary Film.** Londres, Faber and Faber, 1936.

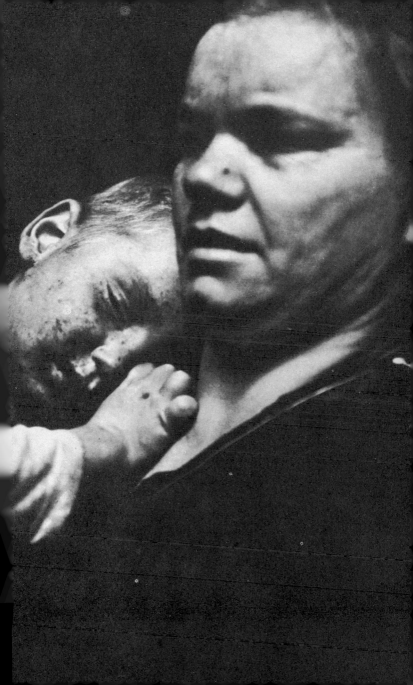

alla ensuite travailler en U.R.S.S. puis en Espagne, d'où il rapporta Terre d'Espagne, qui montre des collectivités paysannes travaillant la terre sous le feu des canons, afin de ravitailler les villes assiégées par les franquistes. L'adaptation française de ce film fut assurée par Jean Renoir. Ernest Hemingway en écrivit les commentaires pour les écrans américains. Ce fut ensuite la Chine qui fournit à Ivens la matière d'un reportage-fleuve : Quatre cents millions. La Hollande occupée, Ivens gagna les États-Unis où nous le retrouverons [1]. Grand homme du cinéma hollandais, Joris Ivens a-t-il eu de l'influence sur celui-ci? On est tenté de le croire en voyant Dood water (Eaux mortes) de Gerard Rutten qui, comme Zuyderzee, montre la lutte des hommes contre la mer, lutte qui amène les pêcheurs à se faire cultivateurs. Dans le domaine du spectacle, c'est tout juste si on peut signaler le Pygmalion, d'après G. B. Shaw, réalisé un an avant celui d'Anthony Asquith par Ludwig Berger, et Quarante ans, que dirigea Edmond T. Gréville pour le jubilé de la Reine Wilhelmine (1939). Mais il serait injuste de ne pas faire ici une petite place à George Pal qui, à partir de 1937, produisit des films de poupées, selon les procédés utilisés en France par Ladislas Starevitch et avec même succès.

Suisse

La situation était la même qu'en Belgique et en Hollande. Pourtant, comprenant que l'intérêt du pays était d'avoir une production nationale, le gouvernement avait créé une Chambre suisse du cinéma, ayant pour tâche d'assurer « la liaison entre les autorités fédérales et les milieux s'occupant de cinéma ». Plusieurs sociétés de production étaient nées à Genève, Zurich et Lausanne, mais, faute de moyens, l'activité de ces sociétés se manifesta presque uniquement par des coproductions avec l'Allemagne, l'Autriche et la France. Les plus intéressants des films ainsi réalisés sont : Die Frau und der Tod, dont le scénariste-réalisateur fut le Suisse Léo Lapaire; Die ewige Maske de Werner Hochbaum, d'après un roman de Léo Lapaire; Un de la montagne, de Serge de Poligny, sur un scénario d'Anton Kutter, dans l'interprétation duquel des acteurs suisses voisinaient avec des

Le besoin de comprendre son temps pousse Joris Ivens, de Terre d'Espagne (1937 — ci-dessus) à la Chine de Quatre cents millions (1939) — en page 224). Ces deux films furent commentés en français par Jean Renoir et en anglais par Hemingway.

---

[1] Cf. p. 283, note.

Français et des Allemands; et surtout Rapt,
réalisé par Dimitri Kirsanoff d'après le roman
de C.-F. Ramuz La séparation des races,
avec une partition d'Arthur Honegger et
Arthur Hoérée. Kirsanoff s'y était livré à
plusieurs initiatives audacieuses. Ainsi, le
conflit qui constitue le sujet du roman se
déroulant entre Bernois et Valaisans, ce fut
dans les deux dialectes que les personnages
s'exprimèrent. D'autre part, une des scènes
les plus importantes avait pour personnage
principal l'idiot du village qui ne s'exprimait
que par des grognements et quelques onomatopées. C'est là une des deux œuvres marquantes du cinéma helvétique des années
1930-1939, l'autre étant redevable aussi à un
roman de Ramuz Farinet, devenu pour les
écrans L'or dans la montagne. Ici le réalisateur
était un Suisse, Max Haufler, qui avait été son
propre scénariste, en collaboration avec

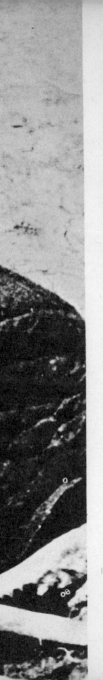

L. Robert et C.-F. Vaucher. Quant à la partition musicale, elle était encore d'Arthur Honegger. Les interprètes étaient Suzy Prim, Janine Crispin, Jean-Louis Barrault, venus de Paris, et des acteurs suisses. Il y avait moins de virtuosité dans le film de **Max Haufler** que dans celui de Kirsanoff, mais autant de sincérité et d'amour de la nature. Le succès fut le même pour les deux films. C'est alors que vint Léopold Lindtberg qui, après des débuts modestes (Wachtmeister Studer, 1939), réalisera en 1945 La dernière chance, qui sera et qui restera le chef-d'œuvre de tout l'art cinématographique helvétique.

Espagne

Plus qu'en tout autre pays, le cinéma eut à subir en Espagne la répercussion des passions politiques qui s'étaient emparées de l'Europe. A peine avait-il triomphé des problèmes que lui avait posés la venue au monde du parlant — il avait commencé par faire sonoriser à Paris des films tournés en muet, comme La bodega de **Benito Perojo** — que la guerre civile éclatait, lui créant des difficultés nouvelles dont on pouvait craindre qu'elles fussent mortelles. Pourtant, en 1932, le Français **Camille Lemoine** avait créé une société de production à Barcelone et transformé en studio un des palais survivants de l'Exposition de 1929. Le premier film qui en sortit fut Pax, mis en scène par Francisco Elias, avec Gina Manès. Suivirent plusieurs films de Benito Perojo, dont Un prisonnier s'est évadé qui révéla le cinéma espagnol au public du festival de Venise, en 1934. On a dit que Benito Perojo avait alors été le grand homme du cinéma espagnol. Il en fut en tous cas le réalisateur le plus prolifique, son rival étant José Buchs qui, de 1930 à 1935, donna sept films, dont un de reconstitution historique : Prim; le héros en était le maréchal Prim qui, ayant voulu en 1870 mettre un Hohenzollern sur le trône d'Espagne, avait déclenché la guerre entre la France et la Prusse.

Le gouvernement installé après l'abdication d'Alphonse XIII découvrit qu'il y avait à travers le monde cent millions d'individus parlant espagnol, qu'il ne fallait pas abandonner à la seule production hollywoodienne. Dès lors, il favorisa la constitution de la Compañia Española-Americana, au conseil d'administration de laquelle siégèrent quelques-uns des

Luis Buñuel, d'abord surréaliste et libertaire, puis attaché à la peinture des réalités les plus âpres, est un moraliste à la conscience toujours en éveil.

meilleurs écrivains du moment, à commencer par Jacinto Benavente. Le premier film de cette société fut El Agua en el Suelo dont le réalisateur fut Eusebio F. Ardavin (1933). L'année suivante naquit Patricio mira a una estrella, de José Luiz Saenz de Heredia, en qui certains se plaisent à voir un « René Clair espagnol ». Quelques vétérans, comme Fructuoso Gelabert (La dentellière), Florian Rey (qui refit en parlant plusieurs de ses films muets, comme La Hermana San Sulpicio) poursuivirent une activité sans grand éclat.

Au milieu de quoi, en 1932, tomba Luis Buñuel. Passant du surréalisme du Chien andalou et de L'âge d'or au réalisme sans concessions, il réalisa, dans la région de Salamanque, un grand documentaire : Las Hurdes, réquisitoire contre la misère de toute une population, dont la tragique désespérance n'a d'équivalent que dans la célèbre suite de Goya Les désastres de la guerre. C'est l'œuvre la plus personnelle de l'art cinématographique espagnol en ces jours tragiques. La guerre partagea alors le pays en deux et réduisit le cinéma à une inaction d'où il ne sortit qu'en 1939, grâce à un accord signé par le général Franco avec le gouvernement de Hitler; accord qui équivalait à la colonisation des écrans espa-

gnols par le cinéma nazi et dont les effets
se firent sentir pendant la seconde guerre.

Le pays ne comptait guère plus de 200 établissements de projection, mais il y avait le Brésil
qui pouvait constituer une clientèle intéressante
pour des films parlant portugais. Aussi, dès
son arrivée au pouvoir, le gouvernement
Salazar prit-il des mesures pour permettre au
cinéma national de se développer. Les studios
de Lisbonne ne possédant pas l'équipement
sonore indispensable, ce fut à Paris que,
par les soins de la société Tobis, fut assurée la
sonorisation de A severa, que Leitaõ de Barros
avait tiré d'un roman très populaire de Julio
Dantas. Histoire d'une chanteuse de fado du
XVIII⁰ siècle, c'était un film de caractère typiquement national, agrémenté d'une musique
colorée de Federico de Freitas. Il connut un tel
succès que la Tobis vint installer à Lisbonne
des studios importants. A partir de 1932, il en
sortit de bons films, comme La chanson de
Lisbonne qu'Antonio Lopes Ribeiro sut parer
d'un pittoresque violent. Puis le nom de Leitaõ
de Barros reparut au générique du plus grand
succès de l'époque : Les pupilles de monsieur
le recteur, aimable tableau de mœurs fort bien
animé par Joaquim Almada (1935).
L'année suivante, la Tobis ne donna naissance
qu'à un film, que dirigea Chianca de Garcia :
Le trèfle à quatre feuilles, film de caractère
nettement international en ce qui concerne
tant son interprétation que son personnel
technique. Puis, pour la célébration du X⁰ anniversaire de la prise du pouvoir par Salazar,
le secrétariat général à l'Information commanda
un film de propagande à Antonio Lopes.
On y voyait un dangereux agitateur se conver-
tissant à la bonne cause — celle de Salazar —
pour les beaux yeux d'une jolie fille. C'était
d'une ingénuité désarmante, qui ne nuisit
pas au succès. Bocace de Leitaõ de Barros,
qui arriva sur les écrans la même année, vaut
infiniment mieux. La vie du XVIII⁰ siècle y avait
été reconstituée avec soin. Leitaõ de Barros
fit encore plusieurs films dont un, Le balcon des
rossignols eut pour vedette le champion
cycliste Noe de Almeida.
Ce furent de bons ouvriers du cinéma portugais,
à cette époque, que Chianca de Garcia (La
rose du parvis et Le village du linge, film de
mœurs paysannes) et l'acteur Arturo Duarte
qui fit ses débuts de metteur en scène avec
Les gentilshommes de la maison mauresque.

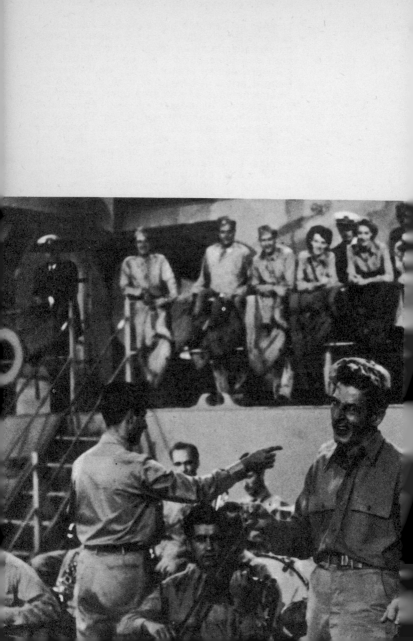

pendant la guerre

France

Dès le début de la guerre, les studios cessèrent leur activité. La réalisation de plusieurs films fut stoppée. Ce fut le cas de Remorques de Jean Grémillon, dont le travail fut repris un peu plus tard. Mais René Clair ne put reprendre son Air pur, ni Marc Allégret Le corsaire, d'après la pièce de Marcel Achard. Fort de l'action menée pendant la précédente guerre par la Section photographique et cinématographique de l'Armée, le gouvernement décida d'utiliser le cinéma pour l'information et la propagande. Il disposait de deux organismes, le Service cinématographique de l'Armée, que dirigeait le commandant Calvet, et le Service cinématographique du Commissariat général à l'information, de Jean Giraudoux, que dirigeait Yves Chataigneau, venu du ministère des Affaires étrangères. Des projets de films de propagande furent élaborés, mais rares furent ceux qui aboutirent. Il y eut pourtant Un Tel père et fils, qui, sur un scénario de Marcel Achard, contait l'histoire d'une famille française de 1870 à 1940 et montrait, comme le dit à la radio son réalisateur Julien Duvivier, que « les Français sont de braves gens qui n'ont pas l'esprit de conquête et ne demandent qu'à vivre tranquilles ». L'interprétation réunissait, entre autres, Raimu et Jouvet, Michèle Morgan et Renée Devillers. Le film ne fut terminé qu'à la veille de l'occupation et ne put être présenté au public qu'après la Libération [1]. Si on y ajoute deux films de montage : Après « Mein Kampf », mes crimes, d'Alexandre Ryder, et De Lénine à Hitler, dont certaines séquences avaient été rapportées de Russie par Georges Rony, on a le bilan de ce que le cinéma fit pour la propagande nationale au cours de la « drôle de guerre ». De son côté, la presse filmée — et tout particulièrement les actualités Gaumont, que dirigeait Germaine Dulac — avait normalement rempli sa mission d'information.

Dès le début de l'occupation, les autorités allemandes mirent naturellement la main sur tous les rouages de la vie cinématographique, notamment sur la censure, malgré leurs déclarations sans cesse renouvelées de collaboration avec le Comité d'organisation de l'industrie cinématographique, que le gouvernement avait créé dans le cadre du ministère

[1] Le négatif du film fut envoyé aux États-Unis où il fut assez rapidement projeté sous le titre **Hearts of France**, avec un commentaire de Charles Boyer.

Marcel Pagnol pour-
suit son œuvre d'avant
la guerre : Raimu dans
La fille du puisatier.

Abel Gance se laisse
prendre au piège des
bons sentiments : Vi-
viane Romance et
Aquistapace dans **La
Vénus aveugle** (1941).

de l'Information, toutes les occasions leur
furent bonnes pour chercher des difficultés
à ceux qui jouaient un rôle dans la production et
l'exploitation cinématographiques.

Malgré ces lisières et ces chausse-trappes,
la production, qui avait été de 75 films en 1939
et qui était tombée à 30 en 1940, se releva à
41 l'année suivante pour atteindre 72 en 1942
et 82 en 1943. De leur côté, les salles de spectacle, auxquelles était interdite la projection
des films américains et anglais, comptèrent,
en 1942, 310 millions de spectateurs, fournissant
2 milliards de recettes, chiffre qui, en 1943,
s'éleva à 3 milliards. Il est vrai que leur clientèle
ne montrait aucun empressement à aller
s'asseoir devant les écrans sur lesquels étaient
projetés des films allemands. Quant à la qualité,
elle fut une surprise pour tout le monde.
Soumis à une discipline jusqu'alors inconnue,
obligés de suppléer à tout ce qui leur manquait
par des efforts d'imagination et d'ingéniosité,
producteurs, auteurs, réalisateurs, techniciens
se surpassèrent véritablement. D'autre part,
les studios furent amenés à accueillir des
hommes nouveaux qui, en d'autres temps,
auraient dû attendre longtemps l'occasion de
manifester leur talent et leurs idées.

reprise de la production en zone libre

C'est évidemment en France non occupée
que le cinéma se remit d'abord au travail.
Marcel Pagnol avait repris dès le 13 août

La fille du puisatier, abandonnée quelques semaines plus tôt, en remplaçant Betty Daussmond, introuvable, par Line Noro.

Le mouvement ainsi déclenché avait entraîné André Hugon, Maurice Cammage (Le chapeau de paille d'Italie avec Fernandel), J.-P. Paulin (qui, dans La nuit merveilleuse, donna une version moderne de la Nativité), Yves Mirande (L'an 40, qui fut interdit après la première représentation pour trop grande désinvolture dans la présentation des événements du printemps précédent), Raymond Leboursier (Les petits riens, qui fournit à Cécile Sorel l'occasion d'une de ses très rares apparitions sur les écrans).

Gance

Abel Gance n'avait pas tardé à participer à cette activité renaissante : le 11 novembre il avait donné le premier tour de manivelle de

sa Vénus aveugle, sur les quais du vieux port
de Marseille : histoire d'une belle fille qui,
menacée de perdre la vue, joue à son fiancé
la comédie de « la dame aux camélias » pour
lui éviter de gâcher sa vie auprès d'une aveugle.
C'est un mélo comme il arrive à Abel Gance
d'en échafauder dans ses moins bons jours.
Viviane Romance, qu'entouraient Lucienne
Lemarchand, Georges Flamant et Henry Guisol,
n'y trouva pas le beau rôle après lequel elle
courait. Ayant ainsi prouvé qu'on pouvait
travailler, Abel Gance s'adonna à la préparation
d'un Capitaine Fracasse auquel il pensait depuis longtemps et qui, interprété par Fernand
Gravey, Jean Weber, Maurice Escande et
Assia Noris, parvint sur les écrans en 1942.
Ce n'était qu'un film agréable, où l'on ne
retrouve pas l'auteur de La roue et de Napoléon.
Les années noires prirent fin sans que les
écrans aient pu accueillir un autre film signé
Abel Gance.

L'activité de Marcel L'Herbier fut plus importante, et surtout plus heureuse, puisque trois
des quatre films qui constituent sa production
de 1939 à 1944 révèlent un auteur gai. Le premier
de ces trois films est Histoire de rire (1941),
adaptation de la comédie d'Armand Salacrou,
mais qui n'est en rien du théâtre filmé. La nuit
fantastique, dont L'Herbier a dit lui-même que
c'est l'histoire de ce que pourrait être la vie
si on la voyait sous les couleurs du rêve,
est un divertissement, un jeu qui remonte
aux sources du cinéma, celui de Georges
Méliès. L'interprétation de Fernand Gravey
et de Micheline Presle en exprimait à merveille
la fantaisie. Quant à L'honorable Catherine
(1942), comédie frisant par instants le bur-

L'Herbier

lesque, elle trouva en Edwige Feuillère l'interprète brillante dont elle avait besoin.

Poirier et Baroncelli

Bien plus réduite fut l'activité de Léon Poirier qui, avec Jeannou (1943), hymne à la terre de France, et La route inconnue (1947), où il ranimait une seconde fois le personnage du Père de Foucault, mettra le point final à son œuvre cinématographique.

Jacques de Baroncelli, par contre, ajoutait à la sienne cinq films, dont deux méritent une attention particulière : Le pavillon brûle, d'après une pièce de Stève Passeur, où pour la première fois Jean Marais avait un rôle important (dont

Pendant l'occupation, le cinéma français cherche à se distraire de la réalité. A gauche : Jean Weber et Assia Noris dans **Le capitaine Fracasse** (1942) d'Abel Gance. — Ci-contre : Fernand Gravey et Micheline Presle dans **Histoire de rire** (1941) de Marcel L'Herbier. — Au-dessous, Saturnin Fabre et F. Gravey dans **La nuit fantastique** (1942) de L'Herbier.

il s'acquittait d'une manière qui ne pouvait
laisser prévoir la grande vedette qu'il allait
devenir); et surtout La duchesse de Langeais,
adaptation du roman de Balzac enrichie de
dialogues signés par Jean Giraudoux : collaboration inattendue et qui ne manquait pas de
saveur. Réunissant une brillante interprétation
(Edwige Feuillère, Pierre Richard-Willm, Aimé
Clariond, Charles Granval), La duchesse
de Langeais, œuvre intelligente et d'une classe
rare, est une des initiatives les plus intéressantes du cinéma au temps de l'occupation.
C'est aussi le chant du cygne de ce grand
seigneur du cinéma français que fut Jacques de
Baroncelli.

Marcel Carné

On avait été surpris en voyant le nom de
Marcel L'Herbier en tête d'un film comme
La nuit fantastique. On le fut encore bien plus
de voir Marcel Carné donner aux écrans
Les visiteurs du soir, le 4 décembre 1942.
Roger Régent, qui a pu suivre en ses moindres
détours la vie cinématographique parisienne,
a dit que ce fut « le coup de tonnerre le plus
violent, le plus grand événement artistique
des quatre années cinématographiques de
l'occupation [1]. » Marcel Carné avait compris
que le temps lui interdisait de lâcher à travers
les salles obscures les mauvais garçons
dont il faisait sa compagnie habituelle. D'un
saut au cœur du Moyen Age, il avait choisi
un scénario de Jacques Prévert et Pierre
Laroche, sorte de légende du temps où l'on
jouait des mystères devant les cathédrales.
C'était aussi un retour au cinéma de Méliès
et à ses truquages techniques : tout ce qu'il
fallait pour déconcerter le spectateur; mais
Carné n'en avait pas été gêné le moins du
monde. L'approbation fut unanime. « Pour la
première fois depuis que la parole a été donnée
au film — écrivait René Barjavel — le cinéma se
retrouve dans son vrai domaine : celui de la
fantaisie, de la poésie, du mystère, des jeux
subtils à travers et au-dessus de la réalité. »
Quant à l'interprétation, avec Arletty, Fernand
Ledoux, Alain Cuny et surtout Jules Berry
(le Diable), elle était remarquable.

Après Les visiteurs du soir, Marcel Carné ne
pouvait pas revenir à son genre habituel,
car il avait pris goût à la grandeur. Du grand
sujet dont il avait besoin, Jean-Louis Barrault
lui donna l'idée en lui contant un épisode
de la vie du mime Gaspard Deburau. De cet
épisode, Jacques Prévert tira un large tableau
de mœurs, ressuscitant la vie de tout un quartier
de Paris sous le règne de Louis-Philippe, le
« boulevard du crime », avec ses foules grouil-
lantes, ses types pittoresques, ses théâtres
au dernier étage desquels s'entassaient ceux
de qui dépendait le succès de la pièce : « les
enfants du paradis ». Jamais Carné ne s'était
lancé dans pareille aventure. Il s'en tira magistralement, avec le concours de Jean-Louis
Barrault, Arletty, Maria Casarès, Pierre
Brasseur, Marcel Herrand, Louis Salou. Avec

Carné et Prévert vont
chercher dans le passé
des raisons d'affirmer
le triomphe de la vie
et de la poésie. Ci-
dessus : Alain Cuny
et Arletty, **Les visi-
teurs du soir** (1942).
— Pages suivantes :
le « boulevard du cri-
me » dans **Les enfants
du paradis** (1945).

[1] Roger Régent : **Cinéma de France**. Paris, Éd. Belle page,
1948.

Les enfants du paradis, le cinéma français eut son grand film de prestige, capable de prouver qu'il avait surmonté les épreuves de la guerre et de l'occupation (1945).

Avec les deux films de Carné, ce qu'il y eut de plus intéressant dans la production des années 40-44 est certainement L'éternel retour, sujet de Jean Cocteau, réalisation de Jean Delannoy (1943). Auparavant, Delannoy avait donné un Pontcarral (avec Pierre Blanchar, Annie Ducaux, Suzy Carrier, 1942) d'après un roman d'Albéric Cahuet, histoire d'un colonel d'Empire qui entendait rester fidèle à Napoléon Ier et qui traitait les représentants du pouvoir royal comme de quelconques autorités occupantes : ingénieuse leçon de résistance. Quant à L'éternel retour (avec Jean Marais et

Delannoy et Cocteau

[1] Pierre Leprohon : **Présences françaises.** Paris, Debresse, 1957.

Madeleine Sologne), c'est la transposition dans l'époque moderne de la légende de Tristan et Yseut. Pierre Leprohon en a dit : « Merveille d'art composé, Jean Delannoy, trouvant un climat favorable, a atteint là, soutenu par Jean Cocteau, à ses plus hautes ambitions[1]. »

Grémillon

Jean Grémillon eut avec Le ciel est à vous (1943) ce qu'avait obtenu Delannoy avec Pontcarral : un sujet qui permettait de montrer, de dire ou de laisser entendre des vérités que l'heure commandait de taire. Ce sujet avait été inspiré à Albert Valentin et Charles Spaak par l'aventure d'une petite provinciale, femme d'un garagiste, brûlée par la passion de l'aviation, et devenue en 1937 recordwoman du vol en ligne droite. Belle histoire qui permettait de faire le portrait d'un de ces couples de Français moyens, dont les qualités morales ont toujours permis à la France de triompher de l'adversité et d'y puiser des forces nouvelles. Ce portrait, Grémillon l'avait brossé avec amour, aidé par ses interprètes, Madeleine Renaud et Charles Vanel. Le ciel est à vous est ce que Grémillon a fait de mieux; il est difficile de ne pas le proclamer, même en face de ceux qui voient en Lumière d'été (avec Pierre Brasseur et Paul Bernard) une œuvre exceptionnelle.

œuvres secondaires

Il n'y a pas d'œuvre exceptionnelle à mettre à l'actif de Christian-Jaque, mais seulement six films de bonne facture, comme L'assassinat du père Noël, d'après un roman de Pierre Véry,

Madeleine Sologne et Jean Marais dans **L'éternel retour** (1943) de Jean Cocteau et Jean Delannoy, transposition de la légende de Tristan et Yseut.

Un film de bonne facture : **L'assassinat du père Noël** (1944) de Christian-Jaque.

La symphonie fantastique où, plus ambitieusement, il fit revivre la grande figure de Berlioz (Jean-Louis Barrault); Carmen, d'après Mérimée, co-production franco-italienne; le meilleur de tous étant Sortilèges, pittoresque histoire d'un sorcier envoûtant tout un village : le personnage était tenu de façon remarquable par Fernand Ledoux.

Il n'y a pas non plus d'œuvre exceptionnelle parmi les films de Georges Lacombe, dont il faut au moins citer Le dernier des six, bon film policier, qui vit les débuts de Suzy Delair, Montmartre sur Seine, première apparition d'Edith Piaf sur les écrans, et Monsieur la Souris où, sur un scénario de Georges Simenon, Raimu campait une étonnante figure de clochard.

Rien d'exceptionnel non plus à lier au nom de Jean Dréville, auteur du charmant film qu'était La cage aux rossignols. Sur un scénario du réalisateur, en collaboration avec René Wheeler, ce fut un bain de fraîcheur offert à des hommes et à des femmes dont, depuis des mois et des mois, les nerfs étaient tendus à l'extrême, et ce non seulement grâce à la gentillesse du sujet, mais grâce aussi à l'interprétation de Noël-Noël, qu'entouraient les Petits Chanteurs à la croix de bois (mars 1944).

De la grande activité qu'eut alors Henri Decoin — six films en quatre ans — il faut retenir Premier rendez-vous (1941) et Les inconnus dans la maison, d'après un roman de Georges Simenon, qui non seulement fournit à Raimu un rôle-exhibition où il s'imposa de toute sa forte personnalité, mais est aussi un intéressant tableau de mœurs provinciales, à une heure où le mot « famille » était un des pivots de la politique sociale.

Henri-Georges Clouzot, après avoir été l'assistant d'E. A. Dupont et d'Anatol Litvak, avait dirigé des versions françaises de la production UFA et composé des scénarios et des dialogues, dont le dernier avait été celui des Inconnus dans la maison : apprentissage consciencieux qui aboutit à L'assassin habite au 21, d'après un roman de S.-A. Steeman, dont Clouzot fut l'adaptateur, le dialoguiste et le réalisateur.

Le résultat ayant été heureux, Clouzot récidiva, et ce fut Le corbeau, dont il signa l'adaptation et les dialogues avec Louis Chavance, qui avait fourni le scénario. Il n'est pas de film

de cette époque qui ait fait parler de lui autant
que Le corbeau, histoire de lettres anonymes,
comme la province française en a assez souvent
connu. Comment la censure avait-elle accepté
un sujet qui montrait la vie française sous un
jour aussi noir? On a dit que c'était sous la
pression des autorités occupantes; mais celles-
ci avaient cependant trop besoin de la délation
pour permettre qu'on en dénonçât ainsi les
méfaits. Ayant choisi un tel sujet, Clouzot l'avait
traité avec une rigueur sans faille et avec une
maîtrise qui s'imposait non seulement dans la
conduite de l'action et dans la composition des
images, mais encore dans la qualité de l'interprétation : Pierre Fresnay, Pierre Larquey,
Ginette Leclerc, Sylvie, Helena Manson et la
toute jeune Liliane Maigné. Le film fut mis en
exploitation en septembre 1943. Il resta un an
sur les écrans avant d'être interdit à la Libération, tandis que les auteurs étaient interdits
à vie par une commission d'épuration. En vertu
de quoi le nom de Clouzot ne reparut qu'en 1947,
en tête d'un film qui fut Quai des Orfèvres.
Robert Bresson est avec H.-G. Clouzot la plus
intéressante révélation de l'occupation. Comment ne pas voir dans Les anges du péché,
coup d'essai de Bresson — et coup de maître! —
une œuvre de qualité aussi rare que Le corbeau
et exprimant aussi hautement un des innombrables aspects de l'art cinématographique
français? Bresson s'était adjoint la collaboration du R. P. Bruckberger pour le scénario
et de Jean Giraudoux pour les dialogues.
Quant au sujet, il en était le relèvement des con-
damnées de droit commun par des religieuses
carmélites. Par la simplicité, la noblesse qu'il
apporta dans le traitement de ce sujet, Bresson

mérite les plus grands éloges, ainsi que par l'expression constamment cinématographique qu'il en a donnée. Quant à l'interprétation féminine, à une exception près, elle était de très grande classe, avec Renée Faure, Jany Holt et Sylvie. Un grand homme de cinéma venait de naître.

L'année 1942 fut aussi celle de Goupi Mains rouges de Jacques Becker. Celui-ci avait appartenu à l'équipe de Jean Renoir. Il tira d'un roman de Pierre Véry la matière du film qui allait lui valoir estime et succès. C'est un âpre tableau de mœurs paysannes, dont le personnage principal est un braconnier (Fernand Ledoux) qu'entourent tous les membres de sa famille (Maurice Schutz, Robert Le Vigan, Germaine Kerjean, Blanchette Brunoy), fortement campés et s'affrontant sans concessions.

Claude Autant-Lara courait depuis longtemps après le succès, un peu dans toutes les directions. Il le trouva dans un roman très « 1900 » de Mme de Martel (Gyp) : Le mariage de Chiffon. Il en fit un film charmant que suivirent rapidement Lettres d'amour et Douce. Tiré par Pierre Bost et Jean Aurenche d'un roman de Michel Davet, le scénario de Douce décrit un conflit de classes. L'interprétation d'Odette Joyeux et de Madeleine Robinson — se disputant Roger Pigaut sous les yeux

de Marguerite Moreno — donnait une qualité rare à cette œuvre rigoureuse.

Ce sont là les grands titres, en quelque sorte les symboles de l'effort de renouvellement fourni par le cinéma français de 1940 à 1945. Pour être moins importantes, d'autres initiatives ne doivent pourtant pas être passées sous silence. C'est ainsi qu'il faut mettre à l'actif de Serge de Poligny un Baron fantôme (auquel collabora Jean Cocteau, qui sut lui donner une atmosphère poétique) et à celui de Marc Allégret une Félicie Nanteuil (adaptation du roman d'Anatole France Histoire comique). Pendant ce temps, André Berthomieu filmait Le secret de Madame Clapain (Line Noro), seule œuvre d'Édouard Estaunié à avoir retenu l'attention du cinéma. Louis Daquin réussissait Nous les gosses, dans un esprit « gavroche » qui en faisait un des meilleurs films d'interprétation enfantine qu'on ait vus.

Du mois de juin 1940 au mois d'août 1944, 226 grands films étaient sortis des studios français. Très heureusement, les projets de coproduction en application desquels des Français auraient dû aller travailler dans les studios berlinois — projets élaborés par les services du Dr. Diedrich — n'avaient jamais abouti. Le Comité de libération du cinéma, que présidait Pierre Blanchar, put sans incidents graves mener son action clandestine, dont les résultats furent, alors que l'on se battait dans les rues de Paris, l'installation d'un de ses membres, Jean Painlevé, à la Direction générale du cinéma et la réalisation d'un grand film : La Libération de Paris. Dès qu'elles étaient enregistrées, les séquences de ce film, qu'accompagnait un commentaire de Pierre Bost, étaient projetées sur les écrans du Gaumont Palace et du Normandie aux Champs-Élysées. Sa version définitive fut envoyée à Londres, puis à New York, où Pierre Blanchar la présenta. Ainsi se trouva assurée la liaison entre le cinéma sous la botte et le cinéma libre.

Du fait de la politique hitlérienne, le cinéma allemand régnait sans rival sur toute l'Europe comprise entre le Rhin et la frontière russe. Il disposait de plus de 6 000 salles de projection et, bien que d'origine privée, la société UFA était en fait une institution d'État. On le vit bien lors de la célébration en 1943 du 25e anniversaire de sa fondation, qui coïncidait avec le 10e anniversaire du cinéma hitlérien. « Le

le cinéma français se libère

Allemagne

cinéma, déclara le Dr. Gœbbels, constitue une possibilité de délassement pour la population civile, qu'on ne saurait trop apprécier. D'autre part, un immense champ d'action s'ouvre aux films allemands dans tous les pays européens. Le film allemand se trouve devant une possibilité unique de contribuer au travail de formation politique au meilleur sens du mot. » C'était à la fois un cri de triomphe et un programme. Le cri de triomphe était imprudent car la production, qui avait été de 118 films en 1939, était tombée à 89 en 1940, puis à 71 en 1941 et 63 en 1942. Quant au programme, il était et il resta strictement appliqué, la production se partageant entre les films d'information et de propagande, d'une part, et les films de divertissement, de l'autre.

« Propaganda »

Dès le début de la guerre, des équipes d'opérateurs avaient travaillé dans la zone des opérations et les premiers films ainsi enregistrés avaient été Sieg im Westen (Victoire à l'Ouest, 1940) dont Walter Ruttmann avait dirigé le travail et assuré le montage, et Sieg im Osten (Victoire à l'Est, 1941), entrepris également sous la direction de Walter Ruttmann. Tué sur le front russe, celui-ci ne put achever le travail. Au sujet de ces films, le ministre d'Allemagne en Norvège avait dit, lors d'une présentation à Oslo, que c'étaient « des films de paix destinés à servir de leçon aux nations qui seraient tentées d'oublier les effets de la colère allemande ». Par ordre, ces films étaient projetés non seulement sur tous les écrans allemands, mais sur ceux des pays occupés, le plus souvent devant des salles vides. La propagande du Dr. Gœbbels n'y trouvait évidemment pas son compte.

Gœbbels avait heureusement sous la main des hommes qui, dans le domaine du cinéma-spectacle, allaient mieux le servir. Le plus empressé et le plus habile fut Veit Harlan qui, avec Le Juif Süss, donna à la propagande raciste le film qu'elle réclamait. L'action s'en déroule au XVIIIᵉ siècle, autour d'un petit banquier juif qui, devenu l'homme de confiance du duc de Wurtemberg, use de son pouvoir pour pressurer et opprimer le pays, jusqu'au jour où, tombé en disgrâce, il passe en jugement et est condamné à mort. Avec autant de talent que de perfidie, Veit Harlan avait présenté son personnage de telle manière qu'il fût regardé comme l'incarnation de la « race » juive tout entière et du danger que celle-ci fait

247

courir aux pauvres aryens. Fort bien campé par un acteur peu connu, Ferdinand Marian, qu'entouraient Werner Krauss, Heinrich George et Kristina Söderbaum, le personnage répondait aux espoirs que Gœbbels avait mis en Veit Harlan. Ce qu'il n'attendait pas, c'était les manifestations qui se produisirent, notamment en France, quand le film y fut projeté.

Dans Le président Krüger (Emil Jannings), Hans Steinhoff avait pris la guerre du Transvaal pour prétexte d'une présentation de la reine Victoria (Lucie Hœflich) et de l'Angleterre dans les circonstances et sous les traits les plus capables de justifier la haine que le maître du IIIe Reich portait à la patrie de Churchill. Aucun autre film de propagande n'a l'importance de ces deux-là : ni Les Rotschild d'Erich Waschneck, ni le Bismarck de Wolfgang Liebeneiner, ni aucun de ceux d'un des plus ardents supporters du régime, Karl Ritter, qui exaltent le militarisme allemand. Sans doute est-on étonné de ne pas trouver ici le nom de Leni Riefenstahl. Elle n'était pourtant pas restée inactive, mais elle avait travaillé lentement. Le film Tiefland, qu'elle avait entrepris en 1940, les troupes françaises en trouvèrent le négatif dans la propriété qu'elle possédait au Tyrol. Elles s'en emparèrent de sorte que le film ne fut projeté qu'en 1953.

Beaucoup des hommes qui avaient participé à la fortune du cinéma allemand étaient passés à l'étranger pour ne pas servir le nazisme. Nous en avons rencontré, ici ou là, nous en retrouverons d'autres, notamment à Hollywood. Un seul était revenu à l'heure de la guerre : G. W. Pabst. Mais il ne produisit rien qui fût digne de l'auteur de La rue sans joie. C'est seulement quand la paix sera revenue qu'on aura à reparler de lui.

Il ne faut pourtant pas mettre le point final à ce chapitre des films destinés à servir le prestige du IIIe Reich sans y faire une place à celui que Josef von Baky réalisa pour la célébration du 25e anniversaire de la UFA. L'auteur obtint du Dr. Gœbbels tout ce qu'il désirait : argent, facilités et même la collaboration d'un auteur interdit, Erich Kästner qui, pour la circonstance, prit le pseudonyme de Berthold Bürger. Grâce à tout cela, et surtout parce qu'il dénotait un retour ingénieux et techniquement impeccable aux sources du cinéma, Münchhausen (dont Hans Albers était la vedette avec bonne humeur et désinvolture fut le seul film allemand qui réussit à s'imposer sur les écrans de pays occu-

pés, dont le public avait l'habitude de bouder les productions nées dans les studios berlinois.

La guerre fut une période de grande prospérité pour le cinéma italien, jusqu'à la chute du régime fasciste. Vittorio Mussolini se plaisait à prophétiser qu'à partir de 1940, la production atteindrait 120 films. A une unité près, ce chiffre fut atteint en 1942, pour retomber à 107 en 1943, 77 en 1944 et 24 en 1945. L'année 1942 marque donc l'apogée du cinéma italien qui, cette année-là, exporta pour 100 millions de lires, en Europe seulement, alors que deux ans plus tôt le total de ces exportations n'était que de 30 millions de lires.

Tous les metteurs en scène de la péninsule participèrent à l'activité de Cinecittà. Carmine Gallone, pour sa part, ne réalisa pas moins de dix films de 1939 à 1945, dont six pour la seule année 1941, qui vit la naissance de son plus grand succès, Oltre l'amore, dont Alida Valli fut l'excellente interprète. Augusto Genina fut moins fécond et il n'y a guère à inscrire à son actif que Naples au baiser de feu, d'après le roman d'Auguste Bailly, et Bengasi (1942).

A côté de ces deux chefs de file chevronnés, il faut placer Amleto Palermi, qui mourut après La peccatrice (1941); Camillo Mastrocinque (Don Pasquale, mise à l'écran de

ns Albers et Eduard
n Winterstein dans
nchhausen (1943)
Josef von Baky,
ul film allemand
i connut le succès
ns les pays occupés.

249

l'opéra de Donizetti); Mario Camerini, qui fit régulièrement un film par an, dont *Una romantica avventura*, d'après Thomas Hardy, *Les fiancés*, d'après Manzoni, où l'on ne retrouvait malheureusement pas la désinvolture et l'humour qui avaient fait de lui le créateur de la comédie légère italienne; Mario Soldati (*Tragica notte*; *Malombra*, adaptation d'un roman d'Antonio Fogazzaro, 1942) qui soulevait la mauvaise humeur de toute la jeune critique par « son marasme romantique ampoulé » et « ses complaisances formelles propres à épater les bourgeois ».

Mais le cinéma italien n'avait plus à faire fond sur Mario Soldati depuis qu'Alessandro Blasetti avait terminé *La couronne de fer* **(1941)**, son effort le plus important et le plus spectaculaire depuis *Scipion l'Africain*. Le film connut auprès du public italien le succès réservé à toutes les « grandes machines » à impressionnant déploiement de mise en scène. *Quatre pas dans les nuages*, dont Cesare Zavattini lui avait fourni le scénario, vaut infiniment mieux. Histoire d'un brave garçon (Gino Cervi) qui se fait passer pour le père d'un enfant à naître afin que la future fille-mère (Adriana Benetti) puisse obtenir le pardon de sa famille, ce mélo, qui avait de quoi faire pleurer toutes les Margots du monde, était conté sur un ton où l'ironie s'alliait à la bonhomie et à la fantaisie, tant dans la peinture de mœurs que dans les portraits des personnages. Il y avait là un accent tout nouveau.

En haut à droite Elisa Cegani dans L couronne de fer (1941 d'Alessandro Blasett un rêve de grandeu non loin de s'évanoui

Ci-contre : Gino Ce dans **Quatre pas da les nuages** (1942), Blasetti retourne à d thèmes plus modest et plus véridiques,

Bien qu'il y ait des intentions de propagande plus ou moins masquées dans La couronne de fer, on ne peut pas dire que le cinéma italien ait participé avec beaucoup de zèle à la vie du pays en guerre, si ce n'est avec Goffredo Alessandrini et Francesco De Robertis. Alessandrini, après un Giarabub où il retraçait un épisode de la guerre en Libye, avait consacré un film en deux parties — Noi vivi et Addio Kira — à la vie des prisonniers italiens en Union soviétique. Quant à De Robertis, chef du Service cinématographique du ministère de la Marine, il s'attacha surtout à faire connaître la vie sur mer et sous la mer : Uomini sul fondo, au scénario duquel collabora Rossellini; Alfa Tau, que l'auteur jugeait « un film de guerre sans concession »; puis Uomini del cielo et enfin Marinai senza stelle, qui ne commença sa carrière qu'après la chute du régime fasciste.

Le vrai mérite de Francesco De Robertis est sans doute d'avoir lancé Rossellini. Au lendemain d'Alfa Tau, celui-ci fit ses débuts dans la mise en scène avec un film consacré, lui aussi, à la gloire de la marine nationale : Nave bianca. Puis ce fut Un pilota ritorna (1943), véritable documentaire sur la vie d'un aviateur (Massimo Girotti) prisonnier en Afrique. Le caractère de propagande de son œuvre se précisa encore avec L'uomo della croce, histoire d'un aumônier qui, ayant accompagné des volontaires italiens sur le front russe, se transformait en combattant et faisait le coup de feu contre les « rouges ». Comme plusieurs autres, ce film arriva trop tard : juin 1943! Un mois après, le régime s'effondrait. La paix revenue, le nom de Rossellini deviendra

l'un des plus grands du cinéma italien.

Dans le même temps, d'autres noms nouveaux s'étaient révélés; des noms d'hommes jeunes, presque tous venus du Centre expérimental que dirigeait Luigi Chiarini et qui, depuis 1935, était chargé de former des techniciens. Le plus intéressant de ces nouveaux venus est incontestablement Luchino Visconti, assistant de Jean Renoir pour La partie de campagne, qui débuta en 1942 avec Ossessione, adaptation du roman de l'Américain James Cain Le facteur sonne toujours deux fois; film d'un réalisme affirmé, qui n'était pas sans laisser voir que son auteur portait la marque de Renoir. Après quoi Visconti ne fit plus rien jusqu'en 1948.

Moins rigoureux était le réalisme de Renato Castellani, qui débuta en 1941 avec Un colpo di pistola, d'après un conte de Pouchkine. Y succéda Zaza, l'héroïne de Pierre Berton, créée à la scène par Réjane, irrésistible tentation pour une comédienne, et qui trouva ici une émouvante interprète en la personne d'Isa Miranda. Il n'y avait rien dans ces deux films qui pût faire prévoir Sous le soleil de Rome. Rien non plus qui annonçât l'avenir dans l'œuvre d'Alberto Lattuada au cours de ces années 40. Années qui virent encore Luigi Chiarini, las d'administrer et d'enseigner, se lancer dans la mise en scène en portant à l'écran, non sans quelque romantisme, un livre de Mathilde Serao, La rue des cinq lunes, puis la célèbre comédie de Goldoni La locandiera. Il n'y a pas grand-chose dans tout cela qui indique la production cinématographique d'un pays en guerre.

A l'aube du néoréalisme : Massimo Girotti dans le premier film de Luchino Visconti, **Ossessione**.

Vittorio De Sica, sans renoncer à ses succès d'acteur, se lança en 1940 dans la mise en scène en filmant une comédie d'intrigue d'Aldo de Benedetti : Les roses écarlates. Il y tenait le rôle principal, avec à ses côtés Renée Saint-Cyr. Dès lors, il n'y aura plus qu'à louer sa très sûre habileté, dont il donnera rapidement de nouvelles preuves avec trois films dans la tradition de la comédie italienne : Maddalena, Zero di condotta, Teresa Venerdì et Un garibaldien au couvent. Son film suivant va donner à l'œuvre de De Sica une couleur toute différente. Le scénario en a été tiré par Zavattini d'un roman de Cesare Giulo. Les enfants nous regardent, c'est « une tranche de vie » à la façon du Théâtre libre. Une femme quitte son foyer pour suivre un amant, revient puis repart, au grand désespoir du mari qui se tue. Rien de plus. Mais ce drame se déroule sous les yeux de l'enfant à qui rien n'échappe et qui, partagé entre son père et sa mère, souffre en silence, marqué pour toute sa vie par ce drame dont la cruauté fait parfois penser au Zéro de conduite de Jean Vigo. Ce qui revient à dire que le réalisme est ici sans concessions, évitant aussi bien la fausse sentimentalité que le mélodrame. Intelligemment servi par ses interprètes Isa Pola, Adriano Rimoldi et le petit Luciano de Ambrosio, De Sica — qui ne s'était donné aucun rôle dans son film — a fait là œuvre très personnelle : c'est la première fois, ce ne sera pas la dernière. Invité par le gouvernement de la nouvelle République sociale (fasciste) à le suivre dans sa retraite vers le Nord, Vittorio De Sica se mit sous la protection du Vatican et fit un film pour le Centre catholique du cinéma, puis reprit son métier d'acteur. Le grand homme de cinéma qui était en lui allait devoir patienter avant de pouvoir s'épanouir et s'affirmer.

Jusqu'alors, la guerre et le régime n'avaient pas trop lourdement pesé sur la vie cinématographique. Comme en France, des hommes nouveaux avaient pu apparaître. En 1943, les choses se gâtèrent. Le festival de Venise, où Gœbbels était venu en 1942 afin de prouver que l'Axe était, même dans le domaine cinématographique, une réalité bénéfique, rendait le dernier soupir. Il ne renaîtra qu'en 1946. Puis les studios furent détruits par les bombardements ou servirent de cantonnements aux troupes américaines. Malgré quelques efforts individuels, il n'y eut plus, pour un temps, de cinéma italien.

Quand la guerre déferla sur le monde, le cinéma anglais, depuis deux ans, traversait une crise. Trop confiant en ses forces et désireux de se libérer de l'invasion des films américains, il avait produit à tour de bras : 220 films en 1936, 214 en 1937; mais en 1938, il n'y en avait plus eu que 85. Le cinéma américain, intensifiant son effort, avait en même temps lancé sur les écrans anglais plus de 500 films par an. Les 5 000 établissements de projection du Royaume-Uni sont donc assurés de pouvoir alimenter leurs programmes, mais les capitaux se détournent de la production. La guerre ne fait qu'aggraver cette situation. D'autant plus que nombre de vedettes masculines sont mobilisées et que d'autres sont allées travailler à Hollywood, où la colonie anglaise est bientôt si nombreuse que Michael Balcon écrit dans le Daily Telegraph : « Il est immoral de voir de jeunes Anglais confortablement installés à l'abri à 10 000 kilomètres de leur pays en guerre, alors que leurs compatriotes de leur âge portent les armes pour défendre leur patrie ». D'autre part, la majorité des studios ont fermé leurs portes. Ceux qui travaillent ne produiront qu'une cinquantaine de films en 1940-1941, pendant que l'Amérique accroît encore ses importations qui, de 39 millions de dollars en 1939, passent à 48 millions en 1941, pour atteindre 88 millions en 1944. C'est alors que la production cinématographique voit venir, en la personne de J. Arthur Rank, l'homme qui, renouvelant l'aventure de Korda, va lui infuser le sang nouveau dont elle a besoin. Fils et successeur d'un richissime minotier, J. A. Rank avait commencé à s'intéresser au cinéma en dotant de salles de projection les paroisses de la secte méthodiste à laquelle il appartenait. Puis, pour fournir des films à ces salles, il avait fondé une maison de distribution (1935), avait mis la main sur des circuits de salles publiques et avait commencé à produire des films en s'associant avec plusieurs producteurs indépendants, comme Gabriel Pascal et Michael Balcon (1941). A la fin de la guerre, l'organisation Rank englobera 600 salles et un peu plus de la moitié des studios. C'est là l'événement le plus important, sur le plan économique, qui se soit produit dans la vie du cinéma anglais pour la période de la guerre.

Sur le plan artistique, c'est le développement de l'École documentariste qui va avoir le plus d'importance, non seulement par l'activité de ses membres et la qualité de leurs œuvres, mais encore par l'influence qu'elle exercera sur le reste de la production nationale. Au début de la guerre, le gouvernement a envoyé John Grierson au Canada pour y organiser une production du même ordre que celle qu'il dirigeait à Londres. Alberto Cavalcanti lui a succédé à la tête du G.P.O. Unit Film qui prend de plus en plus d'importance, étendant son activité à tous les domaines de l'information et de la propagande, et devenant en 1941 la Crown Film Unit. Celle-ci fournit à nombre de jeunes talents l'occasion de se révéler. Le plus intéressant est Humphrey Jennings qui, venu de la peinture au cinéma, y apporte un humour dont on retrouve des traces dans tous ses films. Les plus significatifs sont : Spring Offensive, London can take it (Londres tiendra le coup) en collaboration avec Harry Watt (1941) et Fires were started (Les incendies sont maîtrisés, 1942), hymne émouvant au courage sans forfanterie de toute la grande ville luttant contre les incendies allumés par les avions de Gœring. Dans un genre tout différent, The Song of Lily Marlene conte avec humour la paradoxale aventure de cette chanson qui, après avoir soutenu le moral des hommes de l'Afrika Korps de Rommel, était devenue la rengaine favorite des soldats anglais.

A côté de Jennings, voici Harry Watt (Target for Tonight, consacré aux bombardements de nuit sur l'Allemagne, et Nine Men, dont l'action romancée se déroule dans le désert et prouve l'influence durable exercée par John Ford et sa Patrouille perdue). Watt partit pour l'Australie où il dirigera The Overlanders, le seul grand film qui y fut produit.

Paul Rotha ajouta à son œuvre des films aussi différents que A World of Plenty, où sont exposées les conséquences économiques de la guerre, et Harbour goes in France, qui montre l'installation de ports artificiels sur les côtes normandes, pour le débarquement de juin 1944. Mais les films de guerre ne furent pas le monopole de la Crown Film Unit. Dès le début des hostilités, le succès du grand film de la London Le lion a des ailes avait incité les firmes commerciales à se lancer dans la production de films-spectacles inspirés par la guerre, lesquels portaient nettement l'empreinte de l'École documentariste. Ce lien entre le documentaire et le spectaculaire peut être symbolisé par la personne de Charles Frend qui, venu de

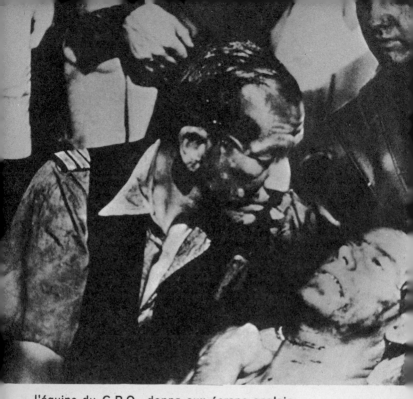

l'équipe du G.P.O., donna aux écrans anglais plusieurs des meilleurs films de guerre : The Foreman went to France (un contremaître, étant allé livrer du matériel en France, est pris dans la débâcle du printemps 40); San Demetrio, London (la lutte que mène l'équipage d'un pétrolier contre l'incendie qui s'est déclaré à bord); Johnny Frenchman (la solidarité unissant les pêcheurs des deux rives de la Manche) dont l'interprétation réunissait une vedette française, Françoise Rosay, et un acteur canadien, Paul Dupuy. Cavalcanti décrivit dans Went the Day well? la résistance d'un village anglais à une hypothétique occupation nazie. C'est aussi avec un film de ce genre — Des millions d'hommes comme nous, tableau en petites touches de la vie des classes moyennes et du petit peuple de Londres pendant la guerre — que Frank Launder et Sidney Gilliat firent leurs débuts de metteurs en scène. Michael Powell, associé avec un Hongrois réfugié, Emeric Pressburger,

Ceux qui servent [en] mer (1943) : No[ël] Coward et David Le[an] disent le combat [de] la marine britanniq[ue]

donna plusieurs des meilleurs films de l'époque : Le 49ᵉ parallèle (aventure d'espions allemands déposés sur la côte canadienne par un sous-marin); Un de nos avions n'est pas rentré (des aviateurs anglais abattus en territoire hollandais sont sauvés par des résistants locaux). Plus original encore, Life and Death of Colonel Blimp met en scène le personnage imaginé par le dessinateur Low pour les lecteurs de l'Evening Standard, frère du capitaine Hurluret cher à Courteline, incarnation de la vieille armée anglaise. Remarquablement campé par Roger Livesey, il valut à ce film un succès étourdissant. Non moindre fut le succès de Ceux qui servent en mer (1943) débuts dans la mise en scène de David Lean, ancien monteur d'Anthony Asquith. Ce succès était dû avant tout à la simplicité avec laquelle se déroulait le drame que Noel Coward avait pris pour thème de son scénario : quelques hommes de l'équipage d'un cargo torpillé attendent à bord d'un canot pneumatique que passe le bâtiment qui les recueillera. Un tel drame, l'Angleterre le vivait quotidiennement. La réalisation avait toute la rigueur d'un documentaire, le seul élément romanesque étant l'évocation par chaque naufragé des souvenirs qu'il a gardés de son dernier séjour à terre. S'il est un film où l'on peut juger de l'influence de l'École documentariste, c'est bien celui-là. La collaboration de David Lean et Noel Coward se poursuivit pour plusieurs films, notamment This Happy Breed (Heureux mortels), où ils essayèrent de refaire Cavalcade en contant l'histoire d'une famille pendant l'entre-deux-guerres. Des tableaux bien faits pour flatter le sentiment national (défilé de la Victoire de 1919, mort de George V) s'y intercalaient entre les scènes de sentimentalité familiale.

L'influence de l'École documentariste n'est pas moins sensible dans le film de Carol Reed The Way ahead, d'après un roman de Peter Ustinov, dont le nom paraissait pour la première fois sur les écrans. Film d'une grande honnêteté, montrant comment des civils quelconques, venus de tous les horizons, se trouvent, dès qu'ils sont vêtus du même uniforme, liés les uns aux autres par un esprit d'équipe qui se mue tout naturellement en un patriotisme sincère.

Leslie Howard fut à la fois le metteur en scène et la vedette, avec Valérie Hobson, de Mr. Smith agent secret; il y jouait adroitement du suspense en vue d'effets comiques [1]. '

Enfin, couronnement de l'activité du cinéma anglais dans le domaine de la guerre, un grand film d'Anthony Asquith : The Way to the Stars, hommage à l'aviation pour son rôle dans la défense de l'Angleterre et la défaite de l'Allemagne; un referendum populaire organisé en 1945 désigna ce film comme le meilleur des années 1940-1944.

films de mystère

Si importante qu'ait été la production des films de guerre, elle n'empêcha pas celle des films de simple distraction, dépourvus de toute intention patriotique. C'est ainsi que Thorold Dickinson et Alberto Cavalcanti firent frissonner avec deux films moins policiers que mystérieux. Dickinson adapta une pièce à succès de Patrick Hamilton : Gaslight, drame psychologique et d'atmosphère, à deux personnages; le mari (Anton Walbrook), s'apercevant que sa femme (Diana Wynyard) a découvert en lui un sadique dangereux, entreprend de la faire passer pour folle. Cavalcanti composa un film à sketches, avec trois jeunes de son équipe (Basil Dearden, Robert Hamer et Charles Crichton) : Dead of Night (Au cœur de la nuit). Les actions s'en déroulent dans le domaine du merveilleux; elles ont pour dénouement un point d'interrogation. Cette entreprise met une note de très audacieuse et intelligente originalité dans la production de l'époque (1944).

films historiques

Cette production comprend encore un certain nombre de films de caractère historique, comme Prime Minister (Disraeli) de Thorold Dickinson, Young Mr. Pitt de Carol Reed et surtout le Henry V de Laurence Olivier. Acteur shakespearien, Laurence Olivier avait vu dans le cinéma un moyen de donner au drame tout son sens et toute son ampleur, en utilisant la technique cinématographique pour combler les insuffisances de la mise en scène théâtrale et pour parer l'œuvre de toute la grandeur dont l'auteur avait rêvé. Le film débutait donc par la reconstitution d'une représentation au Globe Theatre, telle que Shakespeare avait pu la régler lui-même. Puis, dès que l'action l'exigeait, les personnages s'évadaient de la

---

[1] Ce film fut la dernière manifestation de l'activité artistique de Leslie Howard qui, chargé d'une mission en avion, y trouva la mort quelques semaines plus tard.

Dans **Le chemin des étoiles** (1945), Anthony Asquith montre la vie simple et tragique des pilotes de guerre.

scène et l'action se poursuivait sans rupture dans des sites et des décors naturels. Le cinéma avait rarement été mis aussi intelligemment au service de l'œuvre d'un poète. Jamais non plus le cinéma n'avait encore utilisé la couleur avec autant de goût. Remarquablement interprété par Laurence Olivier, entouré d'une troupe de premier ordre, Henry V est une grande date de l'histoire du cinéma britannique.

A la fin de la guerre, J. Arthur Rank, malgré tous ses efforts, n'avait pas réussi à desserrer l'étreinte que Hollywood imposait au cinéma national. Aussi le gouvernement prit-il de nouvelles mesures protectionnistes, en vertu desquelles les écrans devraient projeter au moins 22,50 % de films anglais, proportion qui serait portée à 25 % au 1er janvier 1947. D'autre part, Alexander Korda, revenu de Hollywood avec un contrat associant la London Films à la Metro Goldwyn, et ayant été anobli « pour services rendus à l'industrie du film », se remit immédiatement à l'œuvre. Le cinéma anglais se trouvait ainsi partagé entre deux hommes aussi entreprenants l'un que l'autre, et aussi ambitieux. Il avait donné des preuves de ses capacités et réuni tous les éléments du renouveau qu'il connaîtra bientôt.

p. suivantes : **Henri** (1945) de Laurence Olivier, premier film 'une prestigieuse érie shakespearienne.

En 1940, le cinéma soviétique était en pleine prospérité. Tous les buts fixés par le dernier plan quinquennal avaient été atteints : 40 000 postes de projection fonctionnaient régulièrement, 51 studios ne cessaient pas de travailler, dont 20 produisaient des films-spectacles, 25 des documentaires, 10 des films culturels et 1 des dessins animés. L'ingénieur Semion Ivanov avait même résolu le problème du cinéma en relief; un petit film, Le jardin des oiseaux, utilisant son procédé, fut projeté à Moscou en février 1941. Ce fut de l'enthousiasme. Un enthousiasme sans lendemain, car on n'entendit plus parler de Semion Ivanov ni de son invention.

L'envahissement du pays par les armées hitlériennes jeta le trouble dans cette organisation. Soit qu'ils eussent été atteints, soit qu'ils eussent voulu se mettre à l'abri, la plupart des studios déménagèrent et allèrent se réfugier en Asie centrale, les services administratifs s'installant à Samarcande. Cette dispersion n'était pas favorable à la réalisation de grands films spectaculaires. On renonça donc à ce genre de production, qui ne reprit qu'à la fin de 1942, et on se cantonna dans la production de films de guerre du caractère le plus strictement documentaire. On peut dire que, dans ce domaine, aucun pays en guerre n'a fourni un effort aussi important et aussi bien conçu. C'est ainsi que furent rapidement entrepris des films de court métrage qui, à la façon d'une nouvelle, traitaient d'un sujet plus ou moins romancé. Réunis à trois ou quatre, ils constituaient des « ciné-recueils » ou « recueils de guerre ». Le premier de ces recueils parvint sur les écrans dès le mois d'août 1941. Il réunissait les noms de quelques-uns des meilleurs réalisateurs : Guerassimov (Rencontre avec Maxime), Petrov (Tchapaïev avec nous), Nekrassov (Un songe réalisé). L'épisode le plus intéressant était Le festin de Girmounka, inspiré à Poudovkine et Doller par un récit de Leonid Leonov; il montrait l'héroïsme d'une vieille paysanne empoisonnant les mets qu'elle prépare pour les soldats allemands en cantonnement chez elle, et s'empoisonnant elle-même lorsque ceux-ci la contraignent à partager leur repas. Un autre, signé Kozintsev et intitulé Incident au télégraphe, avait pour personnage principal Napoléon Ier, qui télégraphiait à Hitler pour le mettre en garde contre les dangers que présente la Russie pour ses envahisseurs.

C'était une production originale, qui ne fit pas de tort à celle d'un caractère plus classique; celle-ci atteignit 500 bandes d'actualités, 67 courts métrages, 54 longs métrages, totalisant 5 millions de mètres, tournés par les opérateurs militaires, dont une trentaine furent victimes de leur devoir : Défaite devant Moscou, La défense héroïque de Sébastopol, La bataille d'Ukraine, Stalingrad, etc. Une mention spéciale doit être accordée à un film en quelque sorte « unanimiste » : Un jour de guerre en U.R.S.S., vaste fresque montrant la vie de tout le pays, à l'arrière comme au front, un jour pris au hasard — ce fut le 13 juin 1942 — Le film réunit des scènes enregistrées par 150 opérateurs et donnant une idée de l'effort fourni par le pays dans tous les domaines.

Le travail des films en cours fut achevé. Les premiers à être présentés au public furent La défense de Tsaritsine de G. et S. Vassiliev, épisode de la guerre civile de 1918, où l'on voyait Staline jeune incarné par l'acteur Guelovani, et Georges Sakhadé de Mikhaïl Tchiaroureli, contant la vie d'un héros géorgien du XVIIIe siècle qui lutte contre la Turquie et la Perse pour l'indépendance du pays : le passé au service du présent. Quant au présent, c'est Mark Donskoï qui en donne l'image dans L'arc-en-ciel, d'après un roman de la Polonaise Wanda Wassiliewska, où est décrite la vie d'un village pendant l'avance allemande de l'hiver 40-41. Soutenu par une femme énergique, le village, où il n'y a plus que des femmes, des enfants et quelques vieillards, endure les pires souffrances en attendant l'arc-en-ciel qui, conformément à la tradition populaire, lui rend l'espoir.

Tous ceux qui avaient eu part au développement du cinéma soviétique contribuèrent alors à l'œuvre patrotique commune. Ainsi de Serge Guerassimov (La grande terre) d'Ivan Pyriev (Les partisans); de Poudovkine (Souvarov d'où revit celui qui tint tête à Masséna); de Vladimir Petrov (Koutouzov, qui mit en échec Napoléon); de Mikhaïl Romm (Matricule 217, réquisitoire contre les déportations de femmes russes en Allemagne, avec l'émouvante interprétation de Vera Kouzmina); d'Alexander Fainzimmer (Les amies du front, consacré au dévouement des infirmières). Friedrich Ermler fit Camarade P., histoire d'une paysanne, Vera Maretzkaïa, dont le mari a été tué au front et le petit garçon écrasé par un char et qui, à moitié folle, se réfugie dans les bois où,

« Ivan le Terrible »

autour d'elle, se forme une bande de partisans avec laquelle elle mène la vie dure aux Allemands; et Le tournant décisif, c'est-à-dire le tournant imposé à la marche des événements par la défaite du maréchal von Paulus à Stalingrad. Ce sont les deux films les plus caractéristiques de la production de guerre du cinéma soviétique.

Enfin voici l'œuvre la plus importante qui ait vu le jour dans les studios russes pendant la période de guerre : Ivan le Terrible de S. M. Eisenstein. Ce n'est pas un film de guerre, mais un film historique dans la ligne d'Alexandre Nevski. Il exalte la grandeur de la patrie russe. « Ce sujet grandiose exigeait, a dit Eisenstein, une mise en scène monumentale... Tout y est soumis à l'idée maîtresse du film : la puissance de la Russie et la lutte épique pour sa grandeur. Ces conflits essentiels nécessitaient logiquement la forme de la tragédie... et des moyens d'expression majestueux : le langage est devenu rythmique, des chœurs se sont mêlés au dialogue. Tous nos efforts ont tendu à communiquer aux spectateurs le sentiment de la grandiose puissance de l'État russe [1]. » Rien ne fut épargné pour atteindre ce but : la partition musicale fut demandée à Prokofiev, les palais nationaux ouvrirent leurs portes aux caméras et aux masses de figurants, l'acteur numéro un du cinéma soviétique, Nikolaï Tcherkassov, eut la tâche écrasante de ressusciter le tsar. On lui donna pour partenaires les meilleurs de ses camarades: Ludmila Tselikovskaïa, Serafina Birman, Piotr Kadotchnikov, Alexander Abrikossov. Malgré tous ces soins, le résultat ne répondit pas aux intentions de l'auteur. Entrepris en avril 1943, le film fut terminé au printemps 44 et présenté le 30 décembre de la même année. Ce fut donc une déception dont, artistiquement, cette opinion d'un des plus ardents admirateurs d'Eisenstein peut donner une idée : « C'est moins un film au sens dramatique du mot qu'une cérémonie religieuse... Sur le plan de l'image pure, c'est éblouissant. Sur le plan filmique, c'est un chef-d'œuvre lassant et ennuyeux [1]. » Dans ce beau fruit, on ne fut pas long, en haut lieu, à trouver des vers. Le tsar Ivan, si terrible qu'il fût, était-il bien l'homme à donner en exemple aux foules russes? On se le demanda et ce fut un rude coup pour Eisenstein qui, dès la fin de la guerre, reprit son film pour en terminer la seconde

[1] Jean Mitry : **S. M. Eisenstein.** (Coll. Les Classiques du cinéma), Paris, Éditions Universitaires 1955.

partie. Mais il mourut le 11 février 1948 sans avoir mené à bien ce travail. Entre-temps, il avait reçu un blâme du Comité central du Parti pour « les erreurs historiques et idéologiques » qu'il avait commises. Il avait immédiatement fait son autocritique, reconnaissant qu'il s'était trouvé parmi « les mauvais soldats du front de la littérature et de l'art... oubliant que le principal dans l'art est son contenu idéologique et la vérité » et que le sévère avertissement du Comité central l'avait « arrêté à temps sur la route funeste conduisant à la théorie vide de l'art pour l'art et de la dégénérescence dans le domaine de la création [1].» Il n'en reste pas moins qu'Ivan le Terrible, même incomplet, domine de haut tout le cinéma soviétique, dont son auteur demeure le grand homme, après comme avant les blâmes qui lui ont été adressés.

La guerre n'était pourtant pas finie quand la première partie d'Ivan le Terrible arriva sur les écrans. Ceux-ci accueillirent encore nombre de films intéressants à un titre ou à un autre : Il était une petite fille de V. Eyssimont, histoire émouvante quoique assez conventionnelle de deux fillettes pendant la bataille de Stalingrad ; Deux camarades de Gregori Loukov, qui célèbre non sans humour l'amitié de deux soldats ; Le ciel de Moscou de Youri Raisman, à la gloire de l'aviation ; Les chants natals de Boris Babotchkine, grande vedette populaire depuis Tchapaïev, qui se fit son propre réalisateur pour ce film où il incarnait « un homme pour qui il n'existe pas d'autres intérêts que ceux de l'État » et que « la vie heureuse des kolkhoses a rendu meilleur, élargissant ses conceptions et augmentant sa compréhension de la vie » ; Les aventures du brave soldat Chveik (1943), trois films de Serge Youtkevitch qui « permirent de présenter l'hitlérisme sous un jour très particulier et participèrent utilement à la victoire [2]. »
Jusqu'à la fin de la guerre, et même un peu après, le cinéma continua à en relater les événements. L'entrée des armées russes en Allemagne amena la naissance de nombreux films, dont le plus sensationnel fut La prise de Berlin que Raisman réalisa en utilisant 30 000 mètres de pellicule enregistrés par les

patriotisme russe et histoire de la guerre

[1] Le Monde, 26 octobre 1946.
[2] Les maîtres du cinéma soviétique au travail.
[3] Rune Waldekranz : Le cinéma suédois. Stockholm, Institut suédois, 1953.

opérateurs militaires et 20 000 mètres trouvés dans les archives allemandes. Présenté au premier festival de Cannes (1946), il y reçut la plus haute récompense.

Enfin, il ne faut pas oublier qu'à partir du film La libération de Paris, venu de France, auquel il adjoignit des documents d'archives remontant jusqu'à l'époque de Munich, ainsi que ceux concernant l'escadrille française Normandie-Niémen, qui avait combattu avec l'Armée rouge, il fit un grand film de montage : La France libérée, appelé aussi : Moscou regarde la France, et dans lequel était surtout rappelé le rôle joué par le parti communiste.

Suède

« Depuis la guerre, le cinéma suédois s'est engagé dans des voies qui lui étaient jusqu'alors inconnues » a écrit le critique Rune Waldekranz [3]. Des voies que caractérise « le choix de sujets historiques d'inspiration scandinave où dominent l'esprit et les préoccupations du temps : acte libérateur comme un souffle d'air pur dans une atmosphère enfumée ».

Au premier rang des hommes qui ont participé à ce renouveau, figure Gustaf Molander, dont le métier très sûr se retrouve dans Chevauche cette nuit, récit d'une révolte paysanne, dans La flamme éternelle, le premier film à traiter de la Résistance norvégienne, et surtout dans Ordet (La parole), dont Alf Sjöberg avait tiré le scénario d'un roman du poète danois Kaj Munk, drame mystique et paysan sur la puissance de la foi et le miracle. L'interprétation réunissait Rune Lindström et Wanda Rothgardt, autour de Victor Sjöström, dont la présence prenait valeur de symbole et reliait le film à ses aînés de la grande époque de l'École suédoise (1943).

Anders Henriksen (Un crime, Jeunesse enchaînée), Per Lindberg (Acier), Weyler Hildebrand (Kadettkamrater, dont l'action se déroulait à bord d'un porte-avions), Rune Carlsten (Anna Lens), Schamyl Bauman (Swing it, Magistren, fait pour la chanteuse « swing » Alice Babs-Nilsson) furent aussi les bons ouvriers de cette renaissance, qui recevra l'apport d'un sang plus jeune avec Hasse Ekman, fils du comédien Gösta Ekman et comédien lui-même, qui réalisa Entre deux trains et Marche avec la lune, deux films « riches en résonances intérieures et animés d'une ironie tendre et romantique ». Ils ont pour couronnement, en 1945, Cabotins et Cie, portrait d'un acteur de génie, magistralement interprété par Edvin Adolphson. Enfin, à partir de 1943, se manifestent plusieurs autres jeunes personnalités intéressantes. Hampe Faustman : Nuit au port; La sorcière, dont le scénariste Bertil Malmberg avait puisé l'inspiration dans de vieilles légendes scandinaves; Crime et châtiment, d'après Dostoïevski, où Faustman tenait le rôle de Raskolnikov et Sigurd Wallen celui du chef de la police. Tous films qui se recommandent par un réalisme qui a peut-être son origine dans l'École documentariste anglaise et que l'on retrouve dans l'œuvre d'Ivar Johansson La clinique jaune, où est hardiment traitée la question de l'avortement. Rolf Husberg, après avoir débuté en 1939 avec Sous le soleil de minuit, tourné en Laponie, s'essaya dans un genre difficile et nouveau en Suède, le film d'enfants : Les enfants de Frostmoffallet. Ako Ohberg fit Snap phanar, épopée de la Résistance (1942); Nils Poppe L'argent, traité dans une note humoristique peu habituelle dans la production suédoise. Enfin, le premier film d'Ingmar Bergman, Kris (Crise, 1945), tableau de la jeunesse désorientée par la guerre et réagissant avec autant de désordre que de violence devant les problèmes de la vie quotidienne, marque les premiers pas de celui qui sera le grand homme du cinéma suédois des années cinquante.

En attendant, le grand homme est Alf Sjöberg, dont Le chemin du Ciel fit de lui l'héritier des Sjöström et des Stiller. Avant Le chemin du Ciel, Sjöberg avait été le scénariste [1] et le réalisateur d' Au péril de la vie, qui avait révélé en lui de rares qualités techniques (1940). Le temps des fleurs et La maison de Babylone avaient confirmé cette impression. Quant au Chemin du

Sjöberg

[1] Avec Ted Berthels.

Le cinéma suédoi reste fidèle à so inspiration mystique Le chemin du Cie (1942) d'Alf Sjöberg.

Mouettes (1944) : avec Arne Sucksdorff, la Suède aura désormais son grand documentariste.

Ciel, tiré d'un drame en vers de Rune Lindström, qui collabora à l'adaptation de son œuvre et fut le principal interprète du film, c'est la traduction en images, inspirée du folklore scandinave, de la conception naïve que les braves gens de la campagne se font du Ciel, de l'Enfer, de Dieu et des personnages des Écritures. Les auteurs se sont-ils souvenus de Verts pâturages ? Ce qui compte, c'est que Sjöberg réussit à maintenir son film dans l'atmosphère à la fois ingénue et profondément humaine dont le sujet avait besoin pour émouvoir. Ce faisant, il a donné au cinéma suédois une œuvre digne de son grand passé.

Avec Hets (Tourments, 1944) Sjöberg s'attaqua à un sujet très différent, qui constitue une courageuse prise de position du cinéma suédois à l'égard de l'hitlérisme et une manifestation de résistance à toute doctrine autoritaire : histoire de la révolte de toute une classe contre un maître (Stig Järrel) qui martyrise ses élèves pour leur imposer ses idées. Voyage au lointain met le point final à l'œuvre de Sjöberg pour la période de guerre, et n'a pas la même valeur.

Sucksdorff

Si on ajoute que ces cinq années ont vu naître à la vie cinématographique Arne Sucksdorff, scénariste, photographe, réalisateur qui créera le documentaire poétique — son premier film, Mouettes, est de 1944 — on doit reconnaître que Rune Lindström n'a pas été trop exigeant quand il a déclaré en 1945 : « Nous ne voulons plus voir de poupées hawaïennes, plus de cheiks efféminés qui embrassent comme des dieux à l'ombre de palmiers en papier... Nous poursuivons un but unique : donner une forme

artistique à la vérité qui, seule, nous est sainte. Nous voulons renouer avec la tradition de Stiller et de Sjöström... Nous sommes certains que, si nous cherchons honnêtement dans la voie qui nous est propre, nous ne manquerons pas de trouver tout au fond de l'homme l'universel humain. Et c'est cet universel humain que nous considérons comme seul digne de servir d'objet à notre art [1]. »

Le Danemark, bien que subissant l'occupation allemande, ne fut pas privé de production nationale. Il fallait, en effet, alimenter les écrans, le public boudant ceux où étaient projetés les films, venus de Berlin et de Vienne, dont les autorités allemandes inondaient le pays. Dans ces conditions, la production

Danemark

---

[1] Déclaration au Congrès international de Bâle (octobre 1945).

Carl Dreyer reste
hanté par la sorcel-
erie : **Dies Irae** (1943).

nationale, qui était de 7 à 8 films par an avant
1939, passa à 13 en 1940, pour s'élever à 17
en 1944.

C'est alors que les studios danois virent
revenir à eux deux de leurs meilleurs metteurs
en scène : Benjamin Christensen et Carl-
Theodor Dreyer. Le premier, qui était à Hollywood depuis 1925, ne retrouva pas à son retour
au pays natal l'originalité à quoi il devait sa
notoriété. Les films qu'il fit alors — L'enfant
(1941), Reviens avec moi, La dame aux gants
noirs (1942) — ne se distinguent en rien de
ceux qui sortaient alors des studios de Copenhague. Il en va tout autrement de Dreyer qui
inaugura son retour à l'activité avec Dies
irae (Jours de colère). L'unanimité s'est faite
pour déclarer que c'est son meilleur film avec
La Passion de Jeanne d'Arc. Tiré d'un roman
de Wiers Jenssens, Dies irae conte une de ces
étranges et sombres histoires de sorcellerie,
où le cinéma scandinave est si souvent allé
chercher son inspiration : une jeune femme
(Lisbeth Movin), mariée à un vieux pasteur
(Thorkild Rosse) de qui elle aime le fils (Freben
Lerdorff), est accusée de sorcellerie par une
sorcière (Ann Svierkier) que le pasteur a
livrée au tribunal de l'Inquisition. Elle tue son
mari et connaît un bref bonheur avec celui
qu'elle aime, avant de périr sur le bûcher.
Bien que ne possédant pas la puissance
d'émotion qui se dégage de La Passion de
Jeanne d'Arc, sans doute parce que l'histoire
n'est pas d'une parfaite crédibilité, Dies irae,
dont les images composées par Dreyer avec la
collaboration de Carl Anderson méritent
des éloges sans restriction, a droit à une place
dans la liste des grandes œuvres de l'art cinématographique.

A côté de Dreyer et de Christensen, c'est un
nom auréolé d'une vieille popularité qui occupe
à cette époque le plus de place sur les écrans
danois : Lau Lauritzen. Celui qui porte ce nom
n'est pas celui qui l'a promené dans tous les
studios d'Europe, quand il dirigeait les deux
comiques Carl Schenström et Harald Madsen [1];
mais il s'agit de son fils. En association avec
une excellente comédienne, Bodil Ipsen, il
produira des films en tous genres dont le plus
curieux, Afsparet, a pour héroïne une grande
dame (Ilona Wieselman) sujette à des absences
de mémoire, qui s'égare dans le monde de la
pègre et s'y éprend d'un mauvais garçon.
Production commerciale, à laquelle appartient
également Huit accords, film à sketches de

Johann Jacobsen, dont l'action tourne autour de l'enregistrement d'un disque.

La Suisse ne tira pas grand bénéfice cinématographique de sa neutralité. Elle comptait 350 établissements de projection en 1939 et elle en avait encore 350 en 1945. Sa production resta des plus irrégulières, quoique un nouveau studio de prises de vues eût été construit à Zurich et équipé par l'ingénieur Otto Burr. Le Conseil fédéral ne se désintéressait pas de la vie cinématographique. Au printemps 1943, il avait réorganisé la Chambre du cinéma, sous la présidence du conseiller d'État Antoine Borrel. L'année suivante, afin de soustraire la clientèle des salles de cinéma à la seule influence des actualités UFA, le Conseil fédéral rendit obligatoire pour tous les écrans la projection du Ciné-journal suisse.

D'autre part, du fait de la guerre, nombre de cinéastes étaient venus chercher refuge ou travail en Suisse, comme Hans Richter qui fit à Zurich plusieurs documentaires, dont Vie nouvelle, qui ne manquait pas d'intentions sociales; et surtout comme Jacques Feyder qui, pour le producteur Louis Guyot et sur un scénario de Jacques Viot, fit Une femme disparaît. C'était l'histoire d'une femme dont la disparition mystérieuse fournit matière à rebondissement, chaque fois qu'on croit l'avoir retrouvée sous un aspect différent. C'était surtout une occasion pour Françoise Rosay de manifester son talent de composition en incarnant trois femmes différentes. Elle y affirma une fois de plus son intéressante personnalité, sans que le film soit l'un des meilleurs de son mari (1942).

Pendant que Jacques Feyder mettait son talent au service du cinéma helvétique, celui-ci allait trouver son grand homme : Léopold Lindtberg, dont Lettres d'amour perdues (1941) et Landemann Stauffacher (1942) furent remarqués par le jury du festival de Venise, avant Marie-Louise (1943), histoire d'une petite Française recueillie par la Suisse après un bombardement où elle a perdu tous les siens, et enfin La dernière chance. Ici, plus rien de la facilité, de la sentimentalité qui marquaient regrettablement Marie-Louise. Il y avait pourtant de belles occasions d'y céder, dans l'aventure de ces deux aviateurs abattus en Italie, qui essaient de gagner un maquis et que les circonstances mettent à la tête d'un groupe de pauvres gens de toutes nationalités cherchant, pour des raisons diverses, à passer la frontière italo-suisse. Le compte rendu de cette entreprise constitue le scénario fourni par Richard Schweizer à Léopold Lindtberg. Celui-ci l'a traité avec toute la rigueur d'un documentaire, poussant le souci de la vérité jusqu'à faire parler à chacun des personnages sa langue maternelle. Quant à l'interprétation (E. G. Morrison, R. Reagan, Luisa Rossi, L. Biberti), elle est avant tout un modèle d'interprétation collective. C'est pour tout cela que La dernière chance est une des œuvres les plus sobrement émouvantes, les plus profondément humaines que la guerre ait inspirées au cinéma. La dernière chance domine de haut la production suisse des années de guerre ; mais ce serait une erreur de croire que celle-ci ne compte pas d'autres films intéressants. Il y a Verena Stadler de Hermann Haller (1940). Gens qui passent de Max Haufler fut primé à Venise en 1942. Gilberte de Courgenay de Franz Schnyder (histoire d'une héroïne suisse de la guerre de 1914) contribua fort à la popularité d'Anne-Marie Blanc. Roméo et Juliette au village de Valerian Schmidely, Steibruch de Sigfrid Steiner (dont la distribution comprenait un nom destiné à devenir célèbre : Maria Schell), L'oasis dans la tourmente de René Rufli, sur un scénario que l'œuvre de la Croix-Rouge avait inspiré à Jean Hort, complètent ce tableau.

Espagne

Bien qu'énergiquement soutenu par le gouvernement Franco, le cinéma espagnol ne put, pendant des années, fournir aux salles reconstruites les films dont elles avaient besoin, si ce n'est en collaboration avec l'Allemagne et l'Italie. Le premier à se remettre au travail, après la guerre civile, fut l'infatigable Benito Perojo qui connut les lauriers vénitiens avec Marianella (1941) et Goyescas (1942). Le second de ces films vaut infiniment mieux que le premier, ne serait-ce que par la partition de Granados. Florian Rey ne fut guère moins fécond : La belle de Triana (avec Imperio Argentina, qui est la grande vedette de l'époque), La Dolores (remake de son film de 1934) Le village maudit, couronné aussi à Venise. Ce sont là des vétérans, auprès de qui il faut faire une place à Fernando Delgado (La gitanilla, d'après Cervantès) et à Edgar Neville, diplomate qui avait eu la révélation du parlant en Amérique, où il était en poste, et qui connut un grand succès avec Le courrier des Indes, sorte de Cavalcade espagnole en trois époques. Les héros en sont respectivement le grand-père, qui se distingue à la bataille de Trafalgar, le père, qui participe à la guerre hispano-américaine, et le fils, qui vient de se battre dans les rangs franquistes (1941).

Cependant, des hommes nouveaux avaient fait leur entrée dans les studios. Un critique, Rafael Gil, s'acquit une brillante réputation par son action dans les ciné-clubs, réputation dont il se montra digne dès son premier film : Huella de luz, d'une poétique délicatesse, à quoi succédèrent Viaje sin destino et Leciones de buen amor, valables par leur ton de discrétion et d'aimable sentimentalité. Il y a plus de vigueur dans l'œuvre d'un autre critique, Antonio Roman : Escuadrilla rend hommage à la camaraderie des aviateurs franquistes pendant la guerre civile; Boda en el Inferno conte, sans tomber dans le mélo, l'histoire d'une évadée de Russie épousant le marin espagnol qui l'a sauvée, puis le sauvant à son tour, au cours de la guerre civile; Los ultimos de Filipinas repose sur un épisode réel, la résistance opposée aux républicains par un groupe de franquistes réfugiés dans une église. Quelles que soient les qualités de ces nouveaux venus, c'est dans un film d'un demi-vétéran, José Luis Saenz de Heredia qu'il faut chercher l'œuvre exprimant le mieux la personnalité du cinéma espagnol à son entrée en convalescence : ce film a pour titre Raza (La race).

Il n'y a dans tout cela rien qui marque une date dans l'évolution de l'art cinématographique, rien qui laisse prévoir certains films que l'Espagne présentera aux confrontations internationales des années qui suivront la guerre.

Portugal

On peut en dire autant du cinéma portugais. Les studios que la société allemande Tobis avait installés à Lisbonne continuèrent à travailler sans fracas. Il faut pourtant signaler que Leitaõ de Barros donna en 1942 un pittoresque tableau de la vie d'un village de pêcheurs : Ala arriba, qui est sans doute le meilleur film de la production lusitanienne de l'époque. A citer encore deux grands films de reconstitution historique réalisés en collaboration avec l'Espagne : La reine morte et Camoës (Antonio Vilar).

Son concurrent Antonio Lopes Ribeiro fournit à la propagande officielle deux films très différents : Fatima terra de fé, consacré aux appa-

ritions de la **Vierge (1943)** et Feitaõ de Imperio,
tourné dans les colonies d'Afrique **(1944)**.
Mais Ribeiro se distingua surtout comme
producteur : Manuel de Oliveira fit pour lui
Aniki Bobo, film d'enfants d'une aimable
sentimentalité, dont l'action se déroule dans
les rues de **Porto** et qui n'a rien à envier au
fameux Émile et les détectives de **Gerhard
Lamprecht.**

Amérique

Les débuts de la guerre furent une période
critique pour le cinéma américain qui, avant
même le drame de Pearl Harbour, avait perdu
à peu près tous ses débouchés européens.
De 1939 à 1942, la production baissa de 25 %.
Puis tout se tassa, le président Roosevelt
n'ayant pas renouvelé l'erreur commise par la
France en 1914 : il comprit que le cinéma
pouvait s'employer plus utilement au service
de la patrie qu'en augmentant de quelques
unités les effectifs des forces combattantes.
Ce qui ne veut pas dire que Hollywood ne
vit aucun vide se produire dans les rangs
de son personnel. Douglas Fairbanks junior,
Richard Barthelmess, George Brent, Clark
Gable, James Stewart, Robert Montgomery,
Tyrone Power, Robert Taylor et quelques
autres revêtirent l'uniforme. John Ford, mobilisé
comme lieutenant dans la marine, fit deux
documentaires : La bataille de Midway et
Nous partons ce soir **(1942-1943)**. Les studios
conservèrent donc une activité à peu près
normale.

**films
antinazis**

Hollywood n'avait pas attendu d'y être officiellement invité par le président Roosevelt pour
produire des films d'inspiration nettement
hostile aux régimes autoritaires. La première
manifestation dans ce domaine avait été un
film d'Anatol Litvak : Les aveux d'un espion
nazi **(Edward G. Robinson, 1938)**. Dans le même
genre, on peut citer La cinquième colonne
d'Alfred Hitchcock, Les enfants de Hitler
d'Edward Dmytryk, Casablanca de **Michael
Curtiz** (qui valut à Ingrid Bergman un de ses
premiers succès hollywoodiens), Through
the Night de Vincent Sherman (où, à côté de
Humphrey Bogart, on pouvait voir dans des
personnages d'espions Conrad Veidt et Peter
Lorre, transfuges des studios berlinois). To
be or not to be d'Ernst Lubitsch, dont l'action
se déroule à Varsovie dans le monde du théâtre,
échappe aux conventions du genre et est
traité avec un humour fort savoureux, que

rehausse l'interprétation de Carole Lombard et Jack Benny (1942).

comédies
de guerre

Le vaudeville et la comédie musicale furent mis aussi à contribution : Uniformes et jupons courts de Billy Wilder avec Ginger Rogers, Up in Arms (Un fou s'en va-t-en guerre) avec Danny Kaye, vedette pour la première fois, Conscrit et Parade des bleus, qui valurent leurs premiers succès, l'un à Bing Crosby, l'autre à Bob Hope.

« Mrs. Miniver »

Il n'y a rien dans tout cela qui ait la moindre valeur intellectuelle. Il n'y aurait rien eu sans William Wyler et sa Mrs. Miniver, que l'on hésite à étiqueter « film de guerre ». Mrs. Miniver est un tableau de la vie anglaise au début des hostilités, tableau brossé comme l'exigeaient les circonstances, mais avec un accent de vérité assez rare dans les œuvres de ce genre. Cette impression était due pour une bonne part, il ne faut pas chercher à le dissimuler, au charme de Greer Garson (Mrs. Miniver), dont la simplicité touchait infiniment, et à l'autorité de Walter Pidgeon. Le succès fut très grand et on ne voit pas d'œuvre qui, en ce domaine, en ait connu d'aussi mérité (1942). Sous des apparences aimables, un film important sans en avoir l'air.

« Le dictateur »

The Great Dictator (Le dictateur) de Chaplin est un film important, lui aussi; bien plus important à tous égards que Mrs. Miniver. Un film auquel on a prêté encore plus d'intentions que n'y en avait mis son auteur, qui n'avait pourtant pas caché les siennes. L'idée en était venue à Chaplin au lendemain des Temps modernes, alors que des nuages terriblement sombres se formaient sur l'Europe : ce n'était pas seulement la machine qui menaçait la liberté de l'homme. Comment l'homme pouvait-il encore rêver de liberté, si le régime que Hitler avait imposé à l'Allemagne se maintenait? Détruire cette dictature, ce n'était pas le « petit homme » des Temps modernes qui pouvait se flatter d'en être capable. Mais du moins pouvait-il clouer le dictateur au pilori! Combien de fois, et avec quelle méprisante sévérité, lui avait-on reproché de vouloir jouer au penseur! Eh bien, on allait voir! Il s'était juré de garder sur son projet un prudent silence. Pourtant, l'année 1937 n'était pas achevée, et le grand projet était encore à l'état

de projet, que le monde entier savait que l'auteur de La ruée vers l'or faisait un film dont le personnage était un dictateur, que ce dictateur était Adolf Hitler, et qu'Adolf Hitler serait Charlot. Tout ce qu'il fallait pour créer autour du film à naître le climat dont son auteur avait besoin. Chaplin s'était enfin mis au travail, engageant dans l'affaire plus de deux millions de dollars. Achevé en 1940, le film fut présenté à Hollywood le 15 octobre, puis exploité à New York, simultanément à l'Astor et au Capitol; mais il ne commença vraiment sa carrière qu'après l'entrée en guerre des États-Unis. Il n'arriva en Europe qu'à la fin de 1944 [1].

Indépendamment du courage qu'il y avait en 1938 à s'attaquer aux dictatures, Chaplin fit preuve d'audaces cinématographiques qui n'avaient rien à envier à celles de Modern Times. Tout d'abord, il mit le point final à la résistance qu'il opposait à l'emploi de la parole. Aurait-il pu faire autrement, son dictateur devant être une caricature de Hitler? Pouvait-on concevoir un Hitler silencieux? Autre innovation : le truquage de la parole. Les discours de Hitler sont une suite d'onomatopées à peu près incompréhensibles, qui donnent une étonnante impression d'exactitude à tous ceux qui ont entendu Hitler à la radio. Enfin, Chaplin incarne dans son film deux personnages bien différents : le bourreau et la victime. Car, s'il tenait à ce que la victime fût le little man de tous ses films, il entendait ne laisser à personne d'autre le soin de présenter aux foules son dictateur, dans son comportement à la fois tragique et comique. Il avait donc imaginé que, dans le ghetto d'une capitale en proie à un dictateur, vivait un petit coiffeur juif qui, pour son malheur, était le sosie du dictateur. Des conspirateurs, voulant utiliser celui-là pour ruiner le prestige de celui-ci, substituent l'un à l'autre. Le dictateur imaginé et campé par Chaplin est, comme il se doit, un fantoche. Mais il n'est pas que cela : soit qu'il hurle à la tribune, soit qu'il jongle avec le globe terrestre, on a bien l'impression que ce n'est pas pour faire rire et que, si l'auteur a voulu présenter un fou, il n'a pas sous-estimé le danger que ce fou constituait. Si cruel qu'il fût, le film fut pourtant dépassé par les événements car, en 1938, nul n'aurait osé imaginer ce que l'Europe allait avoir à

---

[1] A Paris, le film fut présenté le 14 février 1945.

souffrir des années durant. Il y eut donc une certaine déception quand on vit le film. On fut particulièrement sévère pour tout ce qui donnait l'impression que Chaplin avait voulu donner à penser; notamment pour le long discours que le petit coiffeur juif, après avoir recouvré sa liberté, adresse à celle qu'il aime, et sur lequel le film se termine.

Ce ne sont pas les vérités premières de ce discours qui font la valeur du Dictateur, mais l'expression cinématographique que ce grand homme de cinéma qu'est Chaplin avait su, en certaines scènes, donner à ses idées. Par exemple quand, seul dans son cabinet de travail, le dictateur, sur des thèmes wagnériens, s'abandonne à ses rêves ambitieux et jongle avec le globe terrestre qui lui éclate au nez. Ou encore quand le petit coiffeur rase en musique un de ses clients, accompagnant chacun de ses gestes professionnels d'un petit pas de danse : scène digne de Figaro, satire d'une des grandes idées sociales du système hitlérien, le travail dans la joie. C'est là que Chaplin est sans rival, et c'est pourquoi Le dictateur occupe une place unique, tant dans l'œuvre de Chaplin-Charlot que dans la production inspirée par la défense de la liberté.

e visage de la guerre

Voici maintenant des films où la guerre va montrer son visage, et tout d'abord des films d'aviation.

Dans ce domaine, c'est probablement le film de Mervyn Le Roy Trente secondes sur Tokyo qui représente la réussite la plus heureuse, tant pour sa valeur documentaire que pour ses qualités cinématographiques. A peu près sur le même plan, il convient de placer Memphis Belle de William Wyler, Air Force de Howard Hawks, Fighting Lady (Le porte-avions X) de Henry Hathaway, films dignes du talent et de l'expérience de leurs signataires. Une mention spéciale doit être accordée au film de Lewis Milestone : The Purple Heart (Prisonniers de Satan), qui montre des aviateurs tombés entre les mains des Japonais et jugés comme criminels de guerre pour avoir laissé tomber leurs bombes hors de tout objectif militaire. Ce film ne fait pas grande place aux images d'aviation; c'est de ses intentions et de ses préoccupations qu'il tire son importance.

La vie militaire et la guerre sur terre ont, de leur côté, inspiré nombre de films : The Story of G. I. Joe (Les forçats de la gloire) de William Wellman, où revit la campagne d'Italie; A Guy

named Joe, Watch on the Rhine (Quand le jour viendra) de **Herman Shumlin**.
Ce sont les films qui relatent les péripéties de la guerre dans le Pacifique qui tiennent le plus de place dans cette production : *Bataan Patrol* de **Tay Garnett**, *Aventures en Birmanie* de **Raoul Walsh** (consacré aux parachutistes), *Back to Bataan* d'**Edward Dmytryk**, *Dragon Seed* (Les dents du dragon) de **Jack Conway**.
La guerre dans le Pacifique constitue aussi la toile de fond de deux films d'un ton moins guerrier : *L'odyssée du Dr. Wassel* de **Cecil B. de Mille**, où Gary Cooper fait revivre, non sans romanesque, la figure d'un brave médecin qui, à travers les plus grands dangers, a sauvé plusieurs blessés; et *So Prodig we Hail* (Les anges de miséricorde) de **Mark Sandrich**, où sont célébrés le courage et le dévouement de femmes-soldats incarnées par **Claudette Colbert, Paulette Goddard** et **Veronica Lake**. Dans le même domaine de la réalité romancée, il convient de ranger *Five Graves to Cairo*

Robert Mitchum dans **Les forçats de la gloire** (1945) : William Wellman « verse de l'héroïsme au cœur des citadins ».

images de la grandeur américaine

(Les cinq secrets du désert) de Billy Wilder, dont l'action se déroule aux frontières de la Libye, autour du maréchal Rommel, incarné, on devine avec quelle pittoresque autorité, par Erich von Stroheim.

La marine fit naître presque autant de films que l'aviation : Destination Tokyo, du scénariste Delmer Daves devenu metteur en scène; Cargo de William Seiter; Life Boat d'Alfred Hitchcock; et surtout Le long voyage, qu'une pièce d'Eugène O' Neill inspira à John Ford. La plupart des auteurs de films de marine utilisèrent des images prises dans des documentaires, afin de créer ou de renforcer le réalisme de leur réalisation.

Enfin, plusieurs metteurs en scène consacrèrent des films aux événements dont la France avait été le théâtre, tels Tay Garnett : La croix de Lorraine, et Robert Stevenson : Joan of Paris.

D'autres, quand le moment fut venu, en firent autant pour la Russie : North Star (L'étoile du Nord) de Lewis Milestone, Convoi vers la Russie de Lloyd Bacon, Action in North Atlantic (Destination Mourmansk), dont le sujet était la livraison d'armes à l'allié russe, Mission in Moscow de Michael Curtiz, Song of Russia de Gregory Ratoff.

Mais tout cela n'est rien auprès de la série Pourquoi nous combattons de Frank Capra et Anatol Litvak. Cette série de films, qui parvint sur les écrans en 1943, avait été mise en train dès l'entrée en guerre des États-Unis, lorsque l'administration militaire s'était aperçue que beaucoup des hommes qui revêtaient l'uniforme ignoraient pourquoi ils allaient se battre. C'est pour le leur apprendre que fut entreprise cette production, la plus importante du genre, la plus originale aussi et la plus intelligente. Chargés de convaincre bien plus que d'informer, ces films ont parfois une façon un peu trop personnelle de présenter la réalité, mais il est indiscutable qu'avec Pourquoi nous combattons, le cinéma a fourni la plus éclatante manifestation de sa force de persuasion [1].

Peut-être peut-on classer aussi dans cette catégorie de propagande quelques bandes célébrant la grandeur des États-Unis, sous

---

[1] La série comprenait 7 films : **Prélude à la guerre, Les nazis attaquent, Diviser pour régner, La bataille de l'Angleterre, Bataille de Russie, Bataille de Chine, Les Etats-Unis entrent en guerre.** Joris Ivens et Raymond Griffith collaborèrent utilement à l'entreprise.

toutes ses formes : Wilson de Henry King, Abe Lincoln in Illinois de John Cromwell, avec Raymond Massey dans le rôle du président, dont il composa une remarquable figure, Thomas Edison de Clarence Brown avec, dans le personnage du populaire inventeur, Mickey Rooney pour la jeunesse et Spencer Tracy pour l'âge mûr.

René Clair fut le premier Français qui préféra travailler en exil que sous contrôle allemand. Il arriva à Hollywood en juin 1940. Il resta jusqu'en juillet 1946. Il y fit quatre films importants. The Flame of New Orleans (La belle ensorceleuse) a pour héroïne une aventurière qui, au milieu du XIXᵉ siècle, révolutionne la Nouvelle-Orléans. Marlene Dietrich anima ce personnage avec son autorité habituelle, avec un esprit et un humour assez peu dans sa manière. Le film fut assez mal accueilli. Mais lorsqu'en janvier 1946, il arriva à Paris, il y connut un vif succès. Certains le regardent comme un des meilleurs de son auteur. Pour la Paramount, René Clair fit I married a Witch (Ma femme est une sorcière), étourdissante

les Français aux États-Unis

Aux États-Unis, René Clair ne perd rien de sa fantaisie. A gauche : Frederic March et Veronica Lake dans **Ma femme est une sorcière** (1942). — Ci-dessous : Linda Darnell et Dick Powell dans **C'est arrivé demain** (1944).

histoire d'une sorcière revenant à la vie et se vengeant du juge qui l'a condamnée à être brûlée vive, sur la personne d'un descendant de celui-ci. L'auteur du Fantôme du Moulin-Rouge retrouve ici ce mélange de réel et de merveilleux, de sincérité et de fantaisie qui lui est cher et dont il s'accommode avec tant d'impertinente désinvolture : truquages, gags sonores et visuels se succèdent d'un bout à l'autre du film, sans laisser au spectateur le temps de souffler. Veronica Lake y est charmante. Après une assez longue pause, ce fut It happened tomorrow (C'est arrivé demain, **1943**), histoire d'un jeune journaliste (Dick Powell) victime d'une fausse nouvelle, où le réel et la fantaisie se mélangent à nouveau; mais elle n'inspira pas aussi heureusement René Clair et le succès en fut indécis. Il en alla tout autrement de Dix petits Indiens, d'après un roman d'Agatha Christie, où dix personnes isolées dans une île disparaissent l'une après l'autre... Qui est l'assassin ? L'interprétation réunit Barry Fitzgerald, C. Aubrey Smith, Walter Huston, Mischa Auer, June Duprez et Judith Anderson. A l'inverse de ce qui s'était passé pour La belle ensorceleuse, le film fut loin de connaître en Europe le succès

remarquable qu'il avait obtenu en Amérique.
Presque en même temps que René Clair, Julien Duvivier arriva à Hollywood précédé du souvenir qu'y avait laissé Toute la ville danse, qu'il y avait tourné en 1938. Dès son arrivée, il se consacra à un remake d'Un carnet de bal qui, devenu Lydia, eut pour vedette Merle Oberon dans le rôle tenu en France par Marie Bell. Puis, fidèle au film à sketches, il conta, sous le titre Tales of Manhattan, l'histoire d'un habit appartenant à un comédien célèbre et qui, après nombre de péripéties, finit comme épouvantail dans le champ d'un noir (1941). La distribution comprenait entre autres Charles Laughton, E. G. Robinson, Charles Boyer, Henry Fonda, Victor Francen, Rita Hayworth, Ginger Rogers et les acteurs noirs Paul Robeson et Ethel Waters; c'était une des plus brillantes que Hollywood eût jamais réunies. Puis, comme Jean Gabin venait d'arriver, Duvivier lui fit un rôle sur mesure, dans The Imposter (L'imposteur, 1942) : celui d'un assassin qui, à la veille d'être guillotiné, s'évade à la faveur du désordre provoqué par 'exode, devient un héros et meurt glorieuse-ent en Afrique. Autre film à sketches, Flesh d Fantasy (Obsession, 1943), dont Barbara nwyck, E. G. Robinson et Charles Boyer se

partageaient les rôles, fut la dernière manifestation de l'activité de Duvivier en exil.

De son côté, Jean Renoir, après avoir fait Swamp Water (L'étang tragique, avec Ann Baxter et Dana Andrews, 1941), qui vaut surtout par l'atmosphère pesante enveloppant une action quelque peu mélodramatique, dut se consacrer à la propagande avec deux films : This Land is mine (Vivre libre), dont l'action se déroule en France et a pour personnage principal un instituteur (Charles Laughton) en qui s'incarnent toutes les vertus mesquines que l'opinion américaine se plaît à prêter au bon peuple de France; et Salute to France (Salut à la France, 1944) avec Claude Dauphin pour vedette.

Quant à Léonide Moguy, de tous les metteurs en scène chassés de France par la guerre et réfugiés à Hollywood, il est celui qui y a fait le plus grand nombre de films — six, dont The Night is ending (1942) et Paris after Dark (1944) — et dont l'œuvre est la moins connue en Europe.

la comédie musicale

La nécessité où les studios se trouvaient de contribuer à la propagande patriotique n'avait pas ralenti la production normale. La comédie musicale, agrémentée de danses, connut un

renouveau de vogue avec : Mélodie de la jeunesse d'Archie Mayo, qui fit du grand violoniste Jascha Heifetz une vedette de l'écran; Le paradis des ondes, où se produisit l'orchestre de Jack Hilton; Ensemble de nouveau, qui permit à Ginger Rogers et à Fred Astaire de reformer le couple prestigieux de Top Hat; Sur les pointes, où une action policière s'accompagnait de musique et de danses. C'est aussi à cette époque que parut Hellzapoppin de H. C. Potter, comédie burlesque où Chick Johnson et Ole Olsen reprenaient avec adresse les vieux gags de Mack Sennett.

la comédie américaine

La comédie américaine connut, elle aussi de belles heures, grâce à George Cukor qui, d'une comédie de Francis de Croisset, Il était une fois, tirait un film agréable, réunissant de façon inattendue Joan Crawford et Conrad Veidt; grâce aussi à George Stevens qui, dans More the Merrier (Plus on est de fous), s'en prenait avec esprit à la question du logement; grâce aussi à Henry Koster : It started with Eve (Eve a commencé); à Sam Wood : Our Town (La petite ville), où il y a une intéressante part de fantastique. Tout cela pendant que Frank Capra, sacrifiant au genre, nouveau pour lui, du théâtre filmé, connaissait un plein

succès avec Arsenic et vieilles dentelles (1942). Cependant, l'exemple qu'il avait donné avec Mr. Smith au Sénat était suivi par des hommes qui avaient compris l'intérêt de parsemer un film d'intentions plus ou moins sociales. Le plus heureux avait été Preston Sturges. S'étant acquis une flatteuse réputation de scénariste au cours des années 1930-1939 [1], il se lança en 1940 dans la mise en scène avec The Great Mac Ginthy, politicien dont un gang protège les opérations louches et qui est regardé comme une fripouille à partir du moment où il veut agir honnêtement. Début plein de promesses, que vint couronner un Oscar (1940) et que confirmèrent plusieurs films intelligents et dépourvus de tout conformisme : Madame et ses flirts, Sullivan's Travels (Les voyages de Sullivan), brillante et âpre satire du monde du cinéma, et Hail the conquering Hero (Héros d'occasion) où, en contant tout simplement l'histoire d'un pauvre type en qui ses concitoyens veulent absolument voir un héros alors qu'il n'a pas mis les pieds au front, Sturges fustige avec autant de verve que de courage le patriotisme des petites villes assoupies dans leur bien-être égoïste : entreprise unique dans le cinéma américain de guerre (1944).

ilms noirs

En même temps, sous l'influence des événements, l'humeur des cinéastes s'était assombrie. Toute une production, aboutissement des genres policier et gangster poussés au noir, s'était épanouie : il ne s'agit plus de jouer aux gendarmes et aux voleurs, mais de donner du vice et du crime des images que l'on croirait inspirées par les théories existentialistes. Un des hommes qui, dans ce genre de production, se montrent le plus intéressants, est Alfred Hitchcock. Après avoir donné, à peine débarqué d'Angleterre, une bonne adaptation de la Rebecca de Daphné du Maurier, il s'imposa avec Suspicion (Soupçons, avec Cary Grant, et Joan Fontaine, 1941) dont le triste héros, parce qu'il a des dettes et que sa jeune et charmante femme est assurée sur la vie, cherche à l'assassiner. Vint ensuite Shadow of a Doubt (L'ombre d'un doute, avec Joseph Cotten et Teresa Wright, 1942) où la plus honnête des familles découvre que le vieux brave homme qu'elle chérit est une horrible canaille, spécialisée dans l'assassinat de

aymond Massey, Pe-
r Lorre et Priscilla
ne dans un succès de
comédie américaine,
rsenic et vieilles den-
les (1944) de Frank
pra.

_____
[1] Il avait notamment été l'adaptateur de la **Fanny** de Marc Pagnol.

femmes solitaires. Encore plus profondément enfoncé dans l'ignoble est Double Indemnity (Assurance sur la mort) de Billy Wilder, d'après un roman de James Cain. Une jeune femme, pressée de se débarrasser de son mari qui a commis l'imprudence de contracter une assurance sur la vie, use cyniquement de ses charmes pour séduire l'agent d'assurances et faire de lui son complice (1944). The Lost Week-end (Le poison), du même Billy Wilder, montre un alcoolique face à son vice. Il valut un grand succès personnel à Ray Milland, interprète hors de pair de cette exhibition clinique. Enfin, en réalisant Gaslight (Hantise, avec Ingrid Bergman et Charles Boyer, 1944) George Cukor lui-même sacrifia à cette mode de films noirs dont, non sans étonnement, on doit reconnaître que la censure n'entrava jamais la production.

Il est vrai que, en face de ces films noirs, il y avait des films roses pétris des meilleurs sentiments. Ainsi de The Song of Bernadette (Le chant de Bernadette, 1943) de Henry King, d'après un ouvrage de l'écrivain allemand (!) Franz Werfel. Jennifer Jones y campa une ~~l~~ieuse figure de petite paysanne pyrénéenne.

films roses

Ainsi de The Keys of the Kingdom (Les clefs du Royaume) que John M. Stahl tira du roman de Cronin, et surtout des deux films de Leo Mac Carey Going my Way (La route semée d'étoiles) et The Bells of St Mary (Les cloches de Sainte-Marie, 1944) où, pour son plus grand succès, Bing Crosby composa un personnage parfaitement inattendu de prêtre catholique épris de modernisme, empressé auprès de ses belles paroissiennes et roucoulant des romances (1944).

western et aventure

Le vieux western, cher à William Hart, n'était pas non plus dédaigné. King Vidor signa un Northwest Passage (Le grand passage, 1940) qui contient de très pittoresques tableaux de la vie paysanne. Fritz Lang, en attendant de donner, au lendemain de la guerre, quelques-uns de ses meilleurs films américains [1], ne dédaigna pas de mettre son grand nom en tête de films comme Le retour de Frank James et Les pionniers de la Western, qui montrent le plus touchant respect pour toutes les traditions du genre. De son côté, Cecil B. de Mille produisit Northwest Mounted Police, à la gloire de

la police montée. George Marshall répliqua avec The Forest Rangers et **Wallace Beery** reparut dans Lopez le bandit de Richard Thorpe. Le chapitre de l'aventure n'est pas dédaigné non plus. On y voit figurer quelques-uns des noms qui ont fait la fortune des studios californiens, à commencer par celui de **W. S. Van Dyke**, qui mourut en 1943 après avoir réalisé L'énigme de San Francisco.

Michael Curtiz, avec une nouvelle version de The Sea Wolf, donna au cinéma américain un de ses meilleurs films maritimes.

Orson Welles est un phénomène. Il en faut, pour qu'un art ne s'enlise pas dans les conventions et les procédés, surtout lorsque cet art risque à chaque pas d'être étouffé par les exigences financières, industrielles et commerciales, quand ce n'est pas par les contraintes politiques, morales et sociales.

Né en 1915 à Kenosha (Wisconsin), Orson Welles avait commencé par être un enfant prodige. Il dirigeait à 14 ans la troupe théâtrale de son université. Puis, engagé par le Maxime Eliott Theatre de New York, il monta le Faust de Marlowe. On le regardait comme le successeur de Max Reinhardt. Mais il se détourna du théâtre pour la radio, où il adapta La guerre des mondes de Wells, de telle sorte que toute l'Amérique, croyant à un reportage relatant un véritable débarquement de Martiens, fut prise de panique. Le cinéma ne resta pas insensible à un tel art de la publicité. La R.K.O. offrit un engagement à l'habile homme qui, visitant les studios de la société, eut cette réflexion que tous ses biographes ont commentée non sans humour : « Voilà bien le plus beau jouet électrique que l'on ait jamais offert à un jeune garçon. » De ce jouet, le jeune garçon fit bon usage. Il commença le 30 juillet 1940, sur un scénario de lui-même, un film dont le titre était destiné à devenir un des plus fameux de l'histoire du cinéma : Citizen Kane.

Citizen Kane est le récit d'une vie. Celle d'un ambitieux, devenu l'un des maîtres de la presse. S'il a réussi aux yeux de ses contemporains, il estime avoir échoué, car cette vie, il l'a passée à la recherche de l'enfant qu'il a été. Cette vie se déroule non telle qu'elle a été, mais telle que l'ont vue quelques-uns de ceux qui y ont été mêlés. Orson Welles fit, dans son film, une place importante à la technique; une place trop importante. Depuis les expériences de

Orson Welles

l'avant-garde française, on n'avait pas assisté à pareil feu d'artifice d'effets sonores ou visuels. On fut ébloui. Si c'était ce qu'Orson Welles avait voulu, il avait gagné. Mais un film n'a pas à être un feu d'artifice. Orson Welles était trop intelligent pour ne pas comprendre qu'un peu de discrétion s'imposait.

The Magnificent Amberson (La splendeur des Amberson) qu'il entreprit alors (1942) fut donc d'une discrétion technique que ne permettait pas de prévoir Citizen Kane. D'autre part, Orson Welles, réalisateur et producteur du film, n'y tenait aucun rôle : ce fut une déception. On a dit que le sujet de La splendeur des Amberson était balzacien et qu'il avait été traité de manière balzacienne. Il serait encore plus vrai de dire que ce sujet balzacien, Orson Welles l'a traité à la façon de Stroheim : violence des confrontations, âpreté du dialogue et surtout cruauté avec laquelle sont présentés les personnages féminins. Dès lors, se constitua autour d'Orson Welles la même atmosphère de malaise que naguère autour de Stroheim. Tentant d'y échapper, Orson Welles s'empressa de faire un nouveau film : un film d'espionnage, pour lequel il accepta d'avoir un superviseur : Norman Foster. Ce fut Journey into Fear (Voyage au pays de la peur)

avec **Citizen Kane** (1941) le génie d'Orson Welles éclate à l'improviste, surprend, déconcerte et parfois mécontente (ci-dessus et pages précédentes).

Film d'espionnage ou parodie satirique des
films de ce genre, dont la guerre provoquait
une invraisemblable prolifération? On ne sait
au juste pourquoi, il fut finalement signé par
Foster. Une autre expérience ayant avorté à
peine ébauchée, Orson Welles préféra ne pas
insister et reprit son métier d'acteur. On le
retrouvera comme metteur en scène après la
guerre [1]. Que l'œuvre d'Orson Welles soit la plus
originale, la plus forte que les studios américains aient vu naître depuis que le micro y tenait
une aussi grande place que la caméra, on ne
saurait le nier. Pourquoi faut-il que ce n'ait
été qu'une expérience encore plus stérile
que celle de Stroheim? Sur quels hommes
s'est exercée l'influence d'Orson Welles?
Depuis longtemps, le cinéma américain était
trop enfoncé dans ses habitudes pour qu'on
ût l'en tirer : il s'était stratifié.

[1] Cf. vol. 3.

Ainsi, menant son activité sur deux plans — films de guerre et de propagande, films de fiction normaux — le cinéma américain n'a pas eu trop à souffrir de la tourmente. Il a perdu provisoirement une partie de ses marchés étrangers mais personne ne doute qu'il les retrouvera, la paix revenue. Will H. Hays n'est-il pas là pour cela? D'autre part, le public, non seulement n'a pas déserté les établissements de projection, mais les fréquente de plus en plus assidûment. Les recettes de ceux-ci représentent environ 20 % des recettes totales des théâtres, réunions sportives, dancings, concerts et divertissements en tous genres. C'est l'exploitation qui constitue la plus grande part des capitaux investis dans les affaires cinématographiques : 94 %, alors que la production n'en absorbe que 5 % et la distribution tout juste 1 %. Les affaires cinématographiques sont prospères. Elles le resteront, des années durant, malgré les craintes que le développement de la télévision commence à inspirer aux industriels et aux commerçants du film.

Matériellement et économiquement, le cinéma américain est donc en excellente forme à la fin de la guerre. Mais du point de vue artistique, la situation est-elle aussi favorable? René Clair, ayant vécu à Hollywood de 1940 à 1946, est bien placé pour avoir une opinion à ce sujet : « Parmi tous ces films, dont beaucoup sont intéressants à plus d'un titre, il ne semble pas que l'on puisse découvrir le signe d'une révolution dans l'art ou la technique des images animées. C'est du moins ce que pensent les critiques américains sérieux, ceux qui ne qualifient pas obligatoirement de chef-d'œuvre toute production dont le prix de revient est supérieur à deux millions de dollars. Walt Disney est le seul producteur américain qui ait continué à rechercher des moyens d'expression nouveaux, selon la tradition des pionniers de l'écran... Rien ne porte à croire que les années qui viennent de s'écouler feront date dans l'histoire du cinéma comme l'époque des premiers films sonores ou les temps héroïques de D. W. Griffith et de Charles Chaplin [1]. » Rallions-nous à cette opinion raisonnable.

Après **La splendeur des Amberson** (1942), Welles dut, comme naguère Stroheim, reprendre le métier d'acteur.

---

[1] **Réflexion faite.** Paris, Gallimard, 1951. René Clair oublie Orson Welles. C'est certainement une injustice.

points de repère

1926   **États-Unis.** Présentation au Warner Theatre de New York de **Don Juan** d'Alan Crosland, premier film sonorisé (procédé Vitaphone) et de courts sujets sonores et parlants (6 août).

1927   **États-Unis.** Présentation à New York du **Jazz Singer** (Le chanteur de jazz), premier film parlant et chantant (6 octobre).

1928   **États-Unis.** Présentation au Strand Theatre de New York de **Lights of New York** (Lumières de New York), premier film entièrement parlant (6 juillet). — Premiers dessins animés sonores et parlants de Walt Disney (**Mickey Mouse**) et de Max Fleischer (**Betty Boop**).

     U.R.S.S. Manifeste des Trois (S. M. Eisenstein, V. Poudovkine, G. V. Alexandrov).

1929   **États-Unis.** Naissance du « film-opérette » : **Love Parade** (Parade d'amour) d'Ernst Lubitsch (présentation à New York le 24 novembre). — Naissance d'un nouveau « burlesque » : **Cocoanuts** de Robert Florey, avec les Marx Brothers. — Débuts de la série **Silly Symphonies** de Walt Disney. — **Hallelujah!** de King Vidor (folklore noir). — **Ombres blanches** de W. S. Van Dyke (exotisme polynésien).

     France. **Les trois masques** d'André Hugon, premier film parlant français.

     Allemagne Fondation de la Tobis Klangfilm. — Présentation à Potsdam des premiers films sonores, dont **Melodie der Welt** (Mélodie du monde) de Walter Ruttmann.

1930   **France.** **Sous les toits de Paris** de René Clair. — La Paramount tourne à Joinville des versions en langues diverses de sa production hollywoodienne (jusqu'en 1931).

     Allemagne. **La nuit est à nous** en deux versions (allemande de Carl Frœlich, française d'Henry-Roussell). — **Drei von der Tankstelle** (Le chemin du paradis) de Wilhelm Thiele. — **Der blaue Engel** (L'ange bleu) de Josef von Sternberg.

     Grande-Bretagne. Débuts de l'École documentariste (General Post Office Film Unit).

1931   **États-Unis.** **City Lights** (Les lumières de la ville), premier film sonore de Charles Chaplin (présentation à Los Angeles le 30 janvier). — **Tabou** de F. W. Murnau et Robert Flaherty. — **Frankenstein** de James Whale, premier film d'épouvante. — Jakob Karol invente le procédé du **dubbing** (doublage).

     France. **Le million** de René Clair. — **Verdun, souvenirs d'histoire** de Léon Poirier (version parlante de **Verdun, visions d'histoire**). — **Le sang d'un poète** de Jean Cocteau. — **Vampyr** de C. T. Dreyer. — **Allo Berlin, ici Paris!** de Julien Duvivier (premier film bilingue). — **Marius** de Marcel Pagnol, filmé par Alexander Korda. — **Jean de la Lune** de Marcel Achard, filmé par Jean Choux.

     Allemagne. **Der Kongress tanzt** (Le Congrès s'amuse) d'Erik Charell. — **Emil und die Detektive** (Émile et les détectives) de Gerhard Lamprecht. — **Mädchen in Uniform** (Jeunes filles en uniforme) de Léontine Sagan.

U.R.S.S. Poutievka v gizn (Le chemin de la vie) de Nikolaï Ekk.

Italie, Fondation de Cinecittà.

1932   **États-Unis.** Surface (Le balafré) de Howard Hawks, considéré comme le chef l'œuvre du genre « gangster ».

France. La maternelle de Jean Benoit-Lévy. — Les croix de bois de Raymond Bernard. — Poil de carotte de Julien Duvivier. — Zéro de conduite de Jean Vigo

Allemagne. Die Dreigroschenoper (L'opéra de quat'sous) de G. W. Pabst. — Kuhle Wampe (Ventres creux) de Slatan Dudow. — Hans Westmar (Horst Wessel) de Franz Wenzler.

Grande-Bretagne. Fondation, par Alexander Korda, de la London Films.

Espagne. Las Hurdes (Terre sans pain) de Luis Buñuel.

Italie. Fondation de la **Mostra** (Festival de Venise) par le comte Volpi.

Pays-Bas. Zuyderzee de Joris Ivens.

Tchécoslovaquie. Extase de Gustav Machatý.

1933   **États-Unis.** Cavalcade de Frank Lloyd.

Allemagne. Liebelei de Max Ophüls. — Fondation par Gœbbels de la Reichsfilmkammer.

Grande-Bretagne. Private Life of Henry VIII (La vie privée d'Henry VIII) d'Alexander Korda.

Autriche. Leisen flehen meine Lieder (La symphonie inachevée) de Willi Forst.

1934   **États-Unis.** New York - Miami de Frank Capra, comédie américaine type.

France. Le grand jeu de Jacques Feyder. — Les misérables de Raymond Bernard. — L'hippocampe de Jean Painlevé. — Don Quichotte de G. W. Pabst. — Abel Gance sonorise son Napoléon (perspective sonore).

Allemagne. Triumph des Willens (Le triomphe de la volonté) de Leni Riefenstahl.

Grande-Bretagne. Colour Box de Len Lye, premier film dessiné sur pellicule.

U.R.S.S. Tchapaïev de S. et G. Vassiliev.

1935   **États-Unis.** The Informer (Le mouchard) de John For Lives of Bengal Lancers (Les trois lanciers du Benga H. Hathaway.

France. Présentation à la Comédie-Française du spectacle filmé par Léonce Perret : **Les précieuses ridicules** et **Les deux couverts** (22 février).

U.R.S.S. Maxime de Kozintsev et Trauberg (trilogie réalisée entre 1935 et 1937).

1936   **États-Unis. Modern Times** (Les temps modernes) de Chaplin (présentation à Los Angeles le 5 février). — **Green Pastures** (Verts pâturages) de M. Connelly et W. Keighley. — **La charge de la brigade légère** de Michael Curtiz.

France. La kermesse héroïque de Jacques Feyder. — **Le crime de M. Lange** de Jean Renoir. — **Le roman d'un tricheur** de Sacha Guitry.

1937   **France. La grande illusion** de Jean Renoir. — **Un carnet de bal** de Duvivier. — **Le puritain** de Jeff Musso. — **Prisons sans barreaux** de Léonide Moguy. — **Les perles de la Couronne** de Sacha Guitry.

Allemagne. Olympiad (Les dieux du stade) de Leni Riefenstahl.

Italie. Scipion l'Africain de Carmine Gallone.

Pays-Bas. Terre d'Espagne de Joris Ivens.

U.R.S.S. Alexandre Nevski de S. M. Eisenstein.

1938   **France. Quai des Brumes** de Marcel Carné. — **La femme du boulanger** de Marcel Pagnol.

Grande-Bretagne. Pygmalion d'Anthony Asquith.

U.R.S.S. Trilogie **Gorki** (1938-1940) de M. Donskoï.

1939   **États-Unis. Stagecoach** (La chevauchée fantastique) de John Ford. — **Good Bye, Mr. Chips** de Sam Wood. — **Gone with the Wind** (Autant en emporte le vent) de Victor Fleming.

France. Entente cordiale de Marcel L'Herbier. — **La règle du jeu** de Jean Renoir. — André Malraux réalise en Espagne **L'espoir**, qui ne sera présenté et exploité qu'en 1945.

1940   **États-Unis. The Great Dictator** (Le dictateur), premier film parlant de Chaplin (présentation à Hollywood le 15 octobre).

France. Création du Comité d'organisation de l'industrie cinématographique (26 octobre).

Allemagne. Der Jude Süss (Le Juif Süss) de Veit Harlan — **Krüger** de Hans Steinhoff.

Canada. Fondation de l'Office national du film.

1941   **États-Unis.** The Flame of New Orleans (La belle ensorce-leusé) de René Clair. — **Citizen Kane** (Le citoyen Kane) d'Orson Welles (présentation simultanée au Broadway Theatre de New York et à l'Ambassador de Los Angeles le 9 avril).

    Grande-Bretagne. Débuts de la production de l'Organisation Rank. — La General Post Office Film Unit devient la Crown Film Unit (films de propagande).

    Italie. La corona di ferro (La couronne de fer) d'Alessandro Blasetti.

    Portugal. Ala Ariba de José Leitaõ de Barros.

1942   **France.** La nuit fantastique de Marcel L'Herbier. — **Les inconnus dans la maison** d'Henri Decoin. — **Le mariage de Chiffon** de Claude Autant-Lara. — **Les visiteurs du soir** de Marcel Carné.

    U.R.S.S. Un jour de guerre en U.R.S.S. (le 15 juin).

    Suède. Victor Sjöström devient directeur artistique de la Svenska. — **Himlaspelet** (Le chemin du ciel) d'Alf Sjöberg.

    Suisse. Une femme disparaît de Jacques Feyder.

1943   **États-Unis.** Série **Pourquoi nous combattons** de Frank Capra et Anatol Litvak.

    France. La duchesse de Langeais de Jacques de Baroncelli, dialogues de Jean Giraudoux. — **Les anges du péché** de Robert Bresson. — **L'éternel retour** de Jean Delannoy et Jean Cocteau. — **Le ciel est à vous** de Jean Grémillon. — **Le corbeau** d'Henri-Georges Clouzot et L. Chavance. — **Goupi Mains rouges** de Jacques Becker. — Congrès du film documentaire (Paris, 14 avril). — Marcel L'Herbier fonde l'Institut des hautes études cinématographiques (I.D.H.E.C.) en septembre.

    Allemagne. 25ᵉ anniversaire de la UFA ı **Münchhausen** de Josef von Baky.

    Grande-Bretagne. In which we serve (Ceux qui servent en mer) de Noel Coward et David Lean.

    Italie. I bambini ci guardano (Les enfants nous regardent) de Vittorio De Sica.

1944   **France.** La libération de Paris, film collectif réalisé par le Comité de libération du cinéma.

    U.R.S.S. Ivan le Terrible de S. M. Eisenstein.

    Portugal. Aniki Bobo de Manuel de Oliveira.

1945   **France.** Les enfants du paradis de Marcel Carné.

    Suisse. La dernière chance de Léopold Lindtberg.

    Grande-Bretagne. Henry V de Laurence Olivier.

index

2

Les illustrations de l'index se réfèrent aux noms précédés d'un astérisque.

On trouvera dans le troisième tome la bio-filmographie des principaux réalisateurs de l'histoire du cinéma, un tableau des films les plus importants et une bibliographie générale.

Le document des pages 104-105 provient de l'agence Roger Viollet. Nos remerciements vont à la Cinémathèque royale de Belgique, aux sociétés Continental Films, Metro Goldwyn Mayer, Paramount, Progrès Films, Smalfilmstudio, 20th Century Fox, et à Monsieur L.-R. Mat, qui nous ont procuré ceux des documents ne provenant pas des archives personnelles des auteurs.

Les frontispices et les photographies illustrant les **Points de repère** représentent :
p. 2 : **Félix le chat** (1927) de Pat Sullivan;
p. 4 : Orson Welles à la caméra;
pp. 6-7 : Al Jolson dans **Le chanteur de jazz** (1927) d'Alan Crosland;
pp. 20-21 : **La chevauchée fantastique** (1939) de John Ford;
pp. 228-229 : Danny Kaye dans **Un fou s'en va-t-en guerre** (1944);
p. 298 (de haut en bas) : Jacques Henley et Albert Préjean dans la version française de **L'opéra de quat'sous** (1931) de G. W. Pabst — **Le chemin de la vie** (1931) de Nikolaï Ekk — Marlene Dietrich et Emil Jannings dans **L'ange bleu** (1930) de Josef von Sternberg — Bing Grosby et Bob Hope dans **The Road to Morocco** (1942) — Jean-Louis Barrault dans **Les enfants du Paradis** (1945) de Marcel Carné;
p. 299 : Orson Welles dans **Citizen Kane** (1942);
p. 300 : **Tabou** (1931) de F. W. Murnau et Robert Flaherty;
p. 302 : **Zuyderzee** (1932) de Joris Ivens;
p. 304 : **L'enfance de Gorki** (1938) de M. Donskoï;
p. 306 : **Henry V** (1945) de Laurence Olivier.

sommaire

Le livre d'or de la poésie française
(des origines à 1940) par Pierre Seghers (MU 3)

Le dossier Molière par Léon Thoorens (MU 47)

Histoire de la musique européenne
par Jacques Stehman (MU 67)

L'œil du peintre par Maurice Grosser (MU 69)

Shakespeare notre contemporain
par Jan Kott (MU 72)

Histoire mondiale de l'art
(6 tomes) par E. Upjohn, P. Wingert et J. Mahler

Panorama des littératures
(7 tomes en cours de publication) par Léon Thoorens

Les maîtres de la peinture mondiale :
Braque, Lautrec, Hiroshige, Giotto, Goya, Vermeer,
Klee, Kandinsky, Canaletto, Rembrandt, Picasso,
Gauguin, Van Eyck, Memlinc, Rubens

dans la série

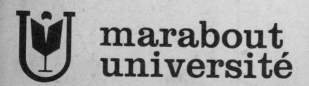

**marabout
université**

DES PRESSES DE GERARD & Cᵒ, 65, rue de Limbourg, Verviers (Belgique)
D. 1966/0099/124